U0143772

科技館

科技部人文及社會科學研究成果推廣叢書

人類文明的盛宴

世界博覽會

Universal
Exposition

改變人類的精彩，
從萬國博覽會開始

戚文芬 著

目　次

Chapter 4　二十一世紀的世界博覽會

Chapter 5　博覽會在臺灣

Chapter 6　精彩，永不落幕

Chapter 1
序幕／象徵國力的國際活動

界萬國博覽會是象徵國力的國際活動

　　時間回溯到一百多年前，那時，科技不發達，基礎的交通建設尚未建構完成，各國之間地域、疆界劃分清楚，各種溝通上的問題，包括文化、歷史、政治等方面，都形成了種種的阻隔與障礙。直到1851年英國舉辦了第一屆的世界博覽會，也就是俗稱的萬國博覽會（World Exposition、World's Fair或Universal Exposition），這種由一個國家的政府或民間單位主辦，為數眾多的國家或國際組織熱烈參與的大型活動，不僅打破了區域與區域之間的藩籬；緊密的文化交流，各方面產生的聯繫，在在給世人帶來新的觀念、新的刺激。

　　綜觀人類的歷史，其實在1851年之前也有類似的活動，但這個英國所舉辦的水晶宮世博會，不管是在日後的學術研究上、相關文獻記載或是新聞報導中，還是公認的世博會起源。

　　歸根究柢，即在於它的影響層面對於人類文化所帶來的重大意義。譬如英國水晶宮的興建，大幅改變了當時的建築結構及美學，有著劃時代的意義；其舉辦的相關活動，一時之間均成為世人矚目的焦點、社會輿論的重點。

　　因此，即便直到1928年，法國才發起成立國際展覽局（英語：International Exhibitions Bureau；法語：Bureau International des Expositions，簡稱BIE），日後不管是國家或是區域性的類似活動，只要在新聞媒體的報導中明顯記載、對後世產生重大影響，蔚為流行，或是收錄於學術研究的相關著作中，都納入本書所介紹的世博會內容範圍；相反地，儘管有些世博會是BIE所認定的，但鑑於其影響力薄弱，甚少見於新聞報導，不為世人所知，即未列入這次撰寫的世博會之列。而且，為統一名稱便於介紹，本書將當時名為博覽會或世博會、展覽等名目，一概統稱為世博會。

博覽會的魅力

萬國博覽會，顧名思義其實就是一場齊聚各國經典文化、歷史、商品的大型展示活動，與一般市集賣場所陳列的當地區域性貨物商品，有著極大的區別。

透過各國的展示，琳瑯滿目的商品、建築、設計匯聚一堂，呈現各自的經典文化，讓所有參與者共同感受來自於不同國家、文化的差異。這種宛如百花齊放般的熱鬧，就像是一種無形上的溝通，打破幾千、幾百年因為距離所產生的藩籬。

事實上，早期在歐洲中古世紀，即因為交通貿易的往來，商人常常舉辦定期的市集。後來，規模日漸擴大，商品交易種類也隨之增加，尤其在工業革命後，社會生產力大幅提高，科學技術發展迅速，市集的舉辦也慢慢由經濟擴展延伸到生活等各個層面。

早期的市集可說是博覽會的雛形

追溯到源頭，1754年，從英國施普利（William Shipley）成立「藝術、工藝與商業促進發展學會」（後更名為皇家藝術學會）的那一刻起，就已注定英國日後萬國博覽會的誕生。接著，1760年英國舉辦近代史上第一次的藝術與工藝展示會，更為日後發展奠定了深厚的根基，一百年後英國舉辦第一屆的世博覽會自然就是水到渠成的事了。

爾後，這種由政府組織或民間單位所主辦，眾多國家與國際組織參加的大型活動，藉此展示人類在社會、經濟、文化和科技領域上所呈現的經典文化和產品，也就成為世人所熟悉的世博會型態。而且，因為舉辦時間長，動員人數多，展出規模又龐大，常在某一個時期掀起風潮，蔚為話題，很多更是對後世產生深遠的影響。總之，每一次的世博會都成為當時舉世注目的焦點，其重要性自是不言可喻。

根據陳其澎（2004：11）的研究指出，世界博覽會可以遠溯至1797年，在法國聖克陸（St. Cloud）舉辦一項關於織錦、瓷器、地毯的博覽會，短短四天卻成效非凡；成功的經驗鼓舞了主辦者Marquis d'Avèze向法國政府提出在巴黎戰神廣場（Champ de Mars）舉辦博覽會的計畫，隔年又再一次成功舉辦包括60個參展單位的博覽會，成為第一次國際級的博覽會。這樣的博覽會往後便成為慣例，在1801年法國因而舉辦了第二次博覽會。

事實上，除了英、法兩國外，歐洲很多國家早已熟知法國工業博覽會並感受其巨大魅力，紛紛起而仿效，在自己國內辦理類似的展示活動。不過，這時還未擴大規模到「一國舉辦多國參與」的程度，因此，儘管十九世紀中葉前，歐洲已有各式展示活動，但1851年英國結合多國共同參展的萬國博覽會，還是引起非常熱烈的迴響（呂紹理，2005：49-51）。

博覽會的功能

經濟產業與文化的匯集

　　如前所言，剛開始的博覽會，主要展示的是美術品和傳統工藝品，後來逐漸演變為薈萃科學與產業技術的展覽會，以1851年英國博覽會為例，分為原料、機械、紡織製造、金屬玻璃、陶藝製造、雜項及美術六項；最後演進為傳遞的是文化、創意，是生命歷程和未來願景。因此，活動展場不再只是單純的技術或商品展出，而是有著繽紛的表演活動，以及充滿特色、創意的展區，提供參與者人生中難得的珍貴體驗。

　　更重要的是，除了透過這樣一個國際性的交流平臺，各參展國得以獲得充分溝通與交流之外，世博會還是對當時社會文明的一種紀錄、對生活環境的反思，以及對未來的冀望。譬如1962年西雅圖世博會揭示太空時代的來臨；1967年加拿大蒙特婁世博會首次以「人類與世界」為主題，將人類所面臨的環境保護問題推上檯面；1970年日本大阪世博會則進一步注意到人與自然、人與人和諧發展的問題；1975年美國斯波坎環境世博會，更清楚點出

人類愈來愈注意到人與自然、環境之間的關係（圖為2015年，米蘭世博）

環境污染的嚴重性。

　　後來，清廷成為亞洲另一個積極參與博覽會的常客，到1912年為止，總共有287次受邀參加規模不等的博覽會、產業展示會或學術會議（呂紹理，2005：28）。至於臺灣，細數從日治時期開始，除參與日本國內舉辦的博覽會，如1903年日本第五回國內勸業博覽會、1922年平和紀念博覽會等外，也曾以日本殖民地的名義參與博覽會，如1900年巴黎博覽會、1904年美國聖路易博覽會、1926年費城博覽會、1939年紐約博覽會等。

　　綜觀來看，臺灣雖無緣舉辦世博會，但日治時期，也曾舉辦過幾次規模不小的博覽會，分別是大正五年（1916）臺北「臺灣勸業共進會」，歷時36天參觀人數80餘萬；大正十四年（1925）臺北「始政三十年博覽會」；大正十五年（1926）臺中「中部臺灣共進會」，歷時10天參觀人數57萬，昭和六年（1931）「高雄港勢展覽會」，歷時6天參觀人數達11萬；其中以昭和十年（1935）「始政四十週年臺灣博覽會」，歷時50天參觀人數達275萬，規模最為龐大（陳其澎，2004：14）。

　　從1897年至1929年間，臺灣參加的各項展示活動共計就有74次，其中在日本本土所舉辦的有54次，日本境外（包括朝鮮及占領區內的大連）共計20次。而就歷次的活動來看，每回固定展出的「喫茶店」，幾乎已成為臺灣的代名詞之一（呂紹理，2005：186）。由此可知，世博會的展示內容關乎一國的政治、經濟、對外形象，重要性絕對不可輕忽。

　　綜觀歷史，無論歐美或日本，博覽會從初期開始，即具有重大政治、經濟產業與文化宣傳作用。到近世紀，回顧過去的發展，對於促進一個國家的工業化、現代化的發展，更是在在具有鼓勵創新、展示創新的最佳成果，可藉此大幅提升舉辦國和承辦

城市的國際形象，無疑地，亦是
展現國力的表徵。

當代國家文化、科技和產業的展示

　　事實上，世博會之前，歐
洲各國也曾陸續舉辦過工業博覽
會，尤其是英、法兩國在工業革
命後，常藉此來推廣自己國家的
生產技術及宣傳新產品。譬如，
成立於1754年的英國皇家藝術
協會，即是專門負責國家展覽
會的重要組織，曾於1761年首
次成功舉辦過工業展覽會，而
1828年到1845年之間，英國國
內亦陸續舉辦過多次類似的活
動，到了1849年，英國甚至破
天荒地首次在伯明罕為展覽設計
建造臨時場館。

　　究其原因，實乃因英國於
1844年參觀巴黎的博覽會後，
亟思在國內舉辦一個更大型的博
覽會活動，遂於1849年舉辦伯
明罕（Birmingham）博覽會。
但是，很顯然地，當時深具創新

亞伯特親王

精神的皇家藝術協會主席亞伯特（Albert, Prince Consort, 1819-1861）認為這樣還不夠。1849年在他的主導下，開始醞釀籌劃一個規模更大的展覽。具國際性的、要有外國產品參加，成為亞伯特對展覽最重要的堅持。他說，藝術和工業創作並非是某個國家的專有財產和權利，而是全世界的共有財產。在這樣的思維下，第一屆世博會隆重登場，也就是習稱的首屆世博會——水晶宮博覽會（Crystal Palace Exhibition）。

1851年英國舉辦首屆世博會到底有多重要？可由馬克斯和恩格斯在1850年11月1日的《新萊茵報》上所說的一段話看出：展望這次博覽會的深刻意義，他們認為「工業將會更加繁榮」。此外，在英國這次成功地吸引各國注意，許多民眾絡繹不絕前來觀賞博覽會的同時，也更加刺激了其他國家，如法國、美國、日本、義大利、比利時、奧地利等，隨後幾年間競相舉辦國際性的博覽會，而且愈來愈熱中，舉辦規模也愈加龐大。

隨著世博會的發展至今，除了透過展覽了解各國趨勢發展外，更注意到人與自然環境之間的關係，不可能無限制地去攫取地球資源，自然、環保、永續等觀念漸漸深入人心。如此一來，即使其中有些僅是像大型博物館的呈現，展場盡是琳瑯滿目的匯集，但一些令人驚嘆的新奇展品，還是帶給許多人無限想像並激發創意；即使只是一點小改變，都可能是人類的一大步，為世博會及人類史留下值得書寫的一頁。

究其世博會的進化過程，人類透過舉辦熱鬧盛大的活動，不斷探索和達成各種各樣的新知，發揮無限創意帶動人類的進步，進而凝聚共識，追求共同的理想和價值觀。

這樣的過程，對於人類的歷史而言，不僅珍貴，亦留下許多值得紀念的點點滴滴。

龐大的產業與經濟效益

當各式各樣的博覽會，在世界各地如雨後春筍般備受世人矚目之際，1928年11月28日，法國有感於世博會的規模愈加龐大，尤其在產業、經濟上所造成的效益顯著，遂發起了成立國際展覽局（International Exhibitions Bureau；法語簡稱BIE，Bureau International des Expositions）的活動，並倡議將總部設在巴黎。當時，總共有31個國家代表簽署了《國際展覽會公約》；公約中詳細規定了世博會的分類、舉辦周期、主辦者和展出者的權利和義務、國際展覽局的權責、機構設置等項目。後來，與時俱進經過多次修改，成為現今主要協調和管理世博會的國際公約。

值得注意的是，1948年歐洲的園藝家們另外又成立了國際園藝生產者協會（International Association of Horticultural Producers, AIPH/IAHP），這是為了追求國際級的園藝生產利益以及園藝技術的精進而舉辦的博覽會，種類上因此區分為由各國代表所參加的大規模國際園藝博覽會（A類），與具國際性的國內園藝博覽會（B類）兩種。1960年，荷蘭鹿特丹舉辦了首屆的國際園藝博覽會，而在亞洲，第一個發起的則是1990年日本大阪的「國際花與綠博覽會」。

由此可看出，世博會發展至此，已呈國際間的共識，是全球的主要趨勢與潮流。只要有明確的主題，藉由發展大型展覽活動，強化國與國之間的聯繫，以達到政治、經濟、社會等各方面的發展，是世博會舉辦的主要目的與目標，至於名義上為何，似乎已不再為世人所強調。

根據最初總部位於巴黎的國際展覽局（BIE）所定義的，世博會主要分為三個類型：(1)全球性大型博覽會（Universal

荷蘭專為1960年博覽會而建的歐洲塔

Exhibition, UE），1930年之前大都屬於此類型，參與國各自建造國家展覽館，至少5到6個月展覽期，1970年代後恢復這個類型的指定：(2)專門博覽會（Specialized Exhibition, SE），屬於小規模展覽，各國沒有特別展覽館；(3)一般博覽會（General Exhibition, GE），大型或小型都有可能，適用30到70年代初期，用來區隔世界博覽會及農業展覽等博覽會的不同。

但，到了1988年，國際展覽局為了避免各國之間的惡性競爭，第五次修改章程將世界博覽會分成兩大類：(1)註冊類（registered），以前稱為綜合性世博會，展期通常為6個月，從2000年開始，每5年舉辦一次；(2)另一類則是認可類（recognized），又稱為專業性世博會，展期通常為3個月。

總之，綜觀來看，一般綜合性世博會最多，展出的內容包羅萬象、琳瑯滿目，主辦國通常是無償提供場地，由參展國自己出錢建設獨立展館。而專業性博覽會則是以某類專業性產品為主要展示內容，譬如生態、陸路運輸、狩獵、娛樂、原子能、糧食等等，各參展國在指定場館內，自行裝修、布展，不用特地建設專用展館。

此外，除了國際展覽局所核可的全球性及專門性博覽會，也有非國際展覽局所認可的博覽會在世界各城市出現，譬如英國為慶祝1851年博覽會百年紀念，於1951年選擇在伯明罕舉辦「英國世界博覽會」；或者瑞士在2002年舉辦的瑞士博覽會，都是個別國家自己發起的展覽。

事實上，不管是哪一種，只要是展出的內容精彩，能夠引起當時眾人矚目，見諸媒體報導，或是涉及政治、經濟、社會等範疇，對後世產生諸多影響，成為學術領域中研究的主題，即是世博會最重要的創立緣由。

專業性博覽會：汽車展

Chapter 2
十九世紀的世界博覽會

…立斯噴泉是1889年世博會之前，爲方便遊客飲水所設計的設施

1851年英國世博會

The great Exhibition of the Works of Industry of all Nations

　　1851年，不管是對「主角」英國，或是其他國家而言，都算得上是驚天動地的一年，開啓了許多劃時代的浪潮。這時的英國，還停留在過去「日不落國」的雄心壯志中，距離帶領人類急速前進腳步的「工業革命」也不過百年，卻因爲這一年召開的世界博覽會而有了更快、更跌破人眼鏡的發展。

你知道嗎？

　　在這之前，英國就像世界的中心，可對全球發生影響的重大事件，似乎都集中在這個國家，譬如：

　　1776年英國人瓦特（James Watt）發明蒸汽機，

　　1829年崔維西克（Richard Trevithick）發明蒸汽火車頭，1840年英國發動改變中國歷史的鴉片戰爭……等等。

　　這時，對號稱爲大英帝國的英國而言，的確是志得意滿的時代，在眾多國家還停留在處處是人力爲上的世紀中，英國有了抽水馬桶、平版印刷術、足可橫越大西洋的電報通訊線路等，傲世全球的先進技術。

源起——亞伯特親王的提議

　　提到第一屆世博會的成立，就不能不說到當時英國女王維多利亞（Queen Victoria）的丈夫亞伯特（Albert, Prince Consort）。他堪稱是帶領英國前進腳步的領導人物，在教育、福利、王室財政、奴隸制上的改革以及對製造業中的應用科學與藝術皆有莫大的貢獻。1843年他擔任皇家藝術學會的主席，並在1849年6月30日固定舉辦的年會中提出舉辦世博會的想法，參加者包括皇家藝術協會成員、全國博覽會組委會成員、建築公司成員等，大家就此提出具體辦法並進一步做出七項重要決定。

　　這次會議將世博會展品分爲四大類，包括原材料、機械、工業製品和雕塑作品，並建一幢特別臨時建築作爲展廳，舉辦場地則是選在海德公園。另方面，這次的世博會將不僅僅只是侷限於一個國家，而是由英國向各國發出參展邀請，並將提供大量獎金以資鼓勵；同時，成立一個專門的皇家委員會來主辦，其相關財政集資則由藝術家協會負責。日後，這些決定都逐一實施，只是在獎金方面，最後由獎牌取代。

　　會後，在亞伯特的努力推動下，先是申請世博會皇家委員會的成立，並先後拜訪英格蘭、蘇格蘭和愛爾蘭的65個城鎮，試探了解國內製造商們對舉辦世博會的想法；甚至，他們還遠到歐洲國家進行遊說，動員參展。而且，爲了擴大世博會知名度，1849年在一次大規模的公共會議中，世博會主要負責人同時也是發言人亨利‧科爾（Henry Cole），親自向全倫敦市最有影響力的商人和銀行家進行說明關於世博會的整個計畫。而藝術家協會也找到兩位商人願意以換取預付款5%的利息加上利潤爲條件，提供啓動資金，總計約25萬英鎊的保證金，暫時解決了世博會財務上的問題。

過程──破壞環境惹爭議

　　經過一步一步的努力，沒多久，議會兩院終於以多數票同意在海德公園內舉行博覽會。1850年1月3日，世博會皇家委員會成立，隨後，維多利亞女王以國家名義向世界各國發出參展邀請。

　　一切看似進展得十分順利，殊不知，這麼龐大而前所未有的創舉，在時間的準備上還是過於倉促；再者，運作資金仍然不夠，尤其是很多人堅持反對的立場，讓世博會的舉辦面臨了層層關卡的阻礙，譬如在上議院的布魯厄姆男爵（Henry Brougham, 1st Baron Brougham and Vaux）便極力反對，「泰晤士報」也掀起抗議浪潮。不過，最主要還是來自對於將展廳設在海德公園激烈的反對意見，認為此舉將破壞樹林和環境，而其設計和建造更

海德公園一景。如何兼顧環境保護與發展需求，一直都是個難題

是讓人頭疼，引起眾人議論。

　　首先，1849年底向各國發出展館設計的邀請，很快地，在短短三個禮拜中就收到245個方案，包括38個來自國外。最後，委員會雖評選出68個榮譽獎，卻沒有一個獲勝者，各方說法紛紜、優劣不一。直到委員會集各家之長設計一份「官方」方案，還是引發各界反對聲浪：一來，依然擺脫不了英國傳統的石磚建築窠臼；二來，許多人還是不願意在海德公園內興建一座永久而巨大的建築。

　　更重要的是，這樣一個龐大建築需要1,500萬塊磚石，如何在這麼短的時間內趕製完成，也讓亞伯特等人陷入了困境。就在這時，查絲華斯莊園首席園藝師帕克斯頓爵士（Joseph Paxton）的出現，為他們帶來了一線生機，更為這屆的世博會創立了舉世注目的經典建築──水晶宮。

焦點1──晶瑩剔透水晶宮

　　英國在幾個世紀的發展中，最令人津津樂道的就是它充滿古樸而典雅的石磚建築，即使在世博會籌備初期，他們還是想以這類傳統建築作為世博會的展廳。問題是，在眾人皆以為只能是短期而臨時的設計，建造時間又備受限制的狀況下，石磚建築根本不符合當時所需。

　　就在各界為了這件事鬧得沸沸揚揚之際，帕克斯頓也聽到了這項消息，這時他早已從美麗的植物──王蓮（學名Victoria Regia Lindl）發展出新的建築工法；因此，聽說展廳一事後，立即毛遂自薦。面對必須在兩星期內完成帶有詳細說明的方案，同時建築結構要能夠容納一萬人，並可展示來自世界各國眾多展

王蓮有世界上最大的葉片，可以輕易地托起小動物與小孩

品，建築本身還必須是臨時建築，會後拆除等等眾多條件，帕克斯頓一口應允，並特別聲明將在九天內完成計畫。

你知道嗎？

帕克斯頓是位傑出的園藝家，他所種植的王蓮是1837年英國探險家從蓋亞那帶回的植物，在他手上，王蓮不僅綻放得十分燦爛，還曾成為維多利亞女王的禮物，並以女王Victoria命名，故稱「王蓮」。

　　沒多久，建築委員會見到了帕克斯頓的計畫，並迅速推薦給組織委員會，民眾也在同一時間得到消息。這時，大家紛紛將目光投向了這座劃時代的新穎建築。7月15日，建築委員會接受帕克斯頓的79,800英鎊報價，但要求增加建築物高度，使一些樹木可以罩在屋頂下得以保護，因此而有了一個桶狀的圓頂。最後，這個建築不到6個月就竣工，記者傑羅德（Douglas Jerrold）便以「水晶宮」（The Crystal Palace）的名稱來報導這個展場。

　　現代街頭巷尾常見的玻璃屋，在過去，尤其是維多利亞時代的英國，根本是聞所未聞，更遑論是那麼龐大，猶如巨型宮殿般的閃耀；因此，當這座共計有1,060根鐵柱、30多萬塊大型玻璃、總長度超過200英里的鑲嵌玻璃用框架，在陽光下閃閃發亮的建築一出現，瞬間就奪得世人注意的目光。

　　在技術上，水晶宮是大型鑄造及起重設備的應用，包括預製構件、玻璃鋼化技術等一系列工業革命成果的展現，讓距離工業革命百年後的人，真真切切感受到發明創造所帶來的巨大影響力，同時親眼目睹建築史上的一大躍進。

　　1851年5月1日上午9時，當時大約有倫敦總人口五分之一的50萬人聚集在海德公園參加開幕盛典。11時30分，9輛皇家馬車列隊離開白金漢宮前往海德公園，12時的鐘聲敲響，在「哈利路亞」樂曲聲中，王室和他們的隨行人員進入展覽宮。

　　維多莉亞女王朗朗宣讀簡短的致辭：「在上帝的祝福下，我誠摯地與諸位一起祝禱，此次盛會能增進吾國人民之福祉與全體人群之利益；能激發和平與工業的巧藝；能凝聚世界各國的關係；更能將仁慈上帝賦予人的秉賦用於友愛與高尚的競爭，以促進全體人類的善美與幸福。」（呂紹理，2005：47）當晚，女王在日記中寫道：「陽光照射在輝煌的水晶宮上，陽光下，各

1851年英國舉辦第一屆的世界博覽會的會場，水晶宮

維多利亞女王、亞伯特親王及王室成員進入水晶宮

個國家的旗幟迎風擺動……」。作為世博會主體建築的「水晶宮」，無疑地，是這次會場中最吸睛的重點，更是「開啓現代建築發展的先聲」（陳其澎，2004：7）。

焦點2 —— 平民階級一般住房

　　另一方面，亞伯特自己花錢主持設計的「平民階級一般住房」，也在這次獲得特別獎和建築大獎。隨著工業化時代的來臨，人口激增，尤其是日日湧向都市工作的勞動階級，為城市帶來生產力的同時，也衍生很多居住條件上的問題，譬如空間不夠、太過擁擠，或是安全衛生等考量，英國為此成立了「勞動階級生活改善協會」，而亞伯特即是擔任了主席的位置。

　　鑑於此，他在世博會上展出一套兩層樓，可供4個家庭居住的公寓樣本，其中有臥房，並有考慮到通風採光的客廳，廚房、洗手間和供水其排水設施齊全；整棟房使用甫發明不久的空心磚建造，既降低成本又保暖，且兼具隔音效果。當時頗受好評，議會也特地為此撥款4萬英鎊，建造這種十分符合經濟效益的民房。並在世博會結束後，隨水晶宮搬遷到辛登漢（Sydenham Hill）。

焦點3 —— 光明之山鑽石

　　「光明之山」英文名稱為Koh-i-Noor，重105.6克拉（21.6克），無色，外形呈橢圓形，原產於印度戈爾康達，在世界著名鑽石排行榜中位列第三十三位。

　　大家在世博會看到這顆鑽石時，莫不議論紛紛。碩大而美麗的外表固然是吸睛重點，但更讓人側目的是，圍繞在這顆鑽石

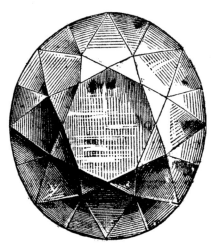

維多利亞女王王冠上的鑽石，光明之山

周遭的眾多神秘傳說，相傳「誰擁有它，誰就擁有整個世界；誰擁有它，誰就得承受它所帶來的災難。唯有上帝或一位女人擁有它，才不會承受任何懲罰。」

詭異的是，從這顆鑽石開始有文字記載的那一刻起，七百多年來，就不知道有多少赫赫有名的人為它喪命，包括十六世紀時第一位擁有者印度蒙兀兒王朝的開創者巴卑爾、十七世紀蒙兀兒王朝的第五代皇帝沙賈汗，以及為鑽石命名的波斯王納迪爾（Koh-i-Noor，波斯語意即為光明之山）和隨後幾名擁有者，且他們都是死狀悽慘，或亡於其子手中，或死於兄弟相殘，直到成為維多利亞女王王冠上的主鑽。

如同傳說，自從光明之山被維多利亞女王擁有後，再沒有人因它而死，但女王也曾兩度被暗殺，始終被英國王室視為不祥之物。現在，這顆曾經轟動一時的鑽石，已被長期安放在倫敦塔中，再也沒有人能擁有這顆璀璨無比的美麗之鑽了。

維多利亞及亞伯特博物館庭院一景

閉幕之後

　　在眾人的欣羨和讚嘆中，1851年10月14日倫敦世博會正式畫下了休止符；主辦單位宣布獲得186,437英鎊的利潤。經皇家組委會討論決定，除了給帕克斯頓5,000英鎊獎勵外，盈餘分為二部分：(1)成立博物館嘉惠民眾，在南肯新頓購買87畝地建立科學和藝術中心，特別是1852年成立的維多利亞及亞伯特博物館（Victoria and Albert Museum）；(2)設立科學藝術獎勵基金。

　　世博會結束後，最受矚目的水晶宮被移到倫敦南部的辛登漢，並作大規模的重建，1854年6月10日由維多利亞女王揭幕並對外開放。令人意外的是，1936年11月30日晚上，中央大廳的員工廁所內突然著火，火勢一發不可收拾，隔天早上，現場只留下

扭曲的金屬和融化的玻璃。不過，作爲一個劃時代的創新建築，
水晶宮基本上就是現代化大規模工業生產技術的結晶，建築概念
和工法也被尊爲功能主義建築的典範。

1853年紐約世博會
Exhibition of the Industry of All Nations

　　這一年的世博會，最後財政上嚴重虧損，再加上，最受世人
矚目的主展覽館像極了倫敦的水晶宮，導致在紐約42大街布萊恩
公園（Bryant Park）所舉辦的博覽會，與歷屆光輝耀眼的世博會
相較，顯得黯然無光。不過，即使如此，美國這個剛從西半球巍

紐約42大街布萊恩公園

然崛起的大國，還是在人類的歷史上留下值得大書特書的一頁。

源起——商人的如意算盤

　　倫敦世博會所獲得的讚譽與成功，格外地鼓舞了美國。波士頓著名商人瑞德（Edward Riddle）自覺舉辦世博會，可創造極大的商機，遂召集了一群參觀過倫敦世博會的紐約銀行家，有意在美國投資一個類似世博會的展覽。剛開始，他們選中地處交通要道的麥迪遜廣場（Madison Square），並迅速向議會提出申請，只是很快地，被議會以影響周遭交通及破壞附近整體美感為由而打了回票，後來，才將會址移到當時位處紐約郊區曼哈頓中心的布萊恩公園。

　　這個由瑞德所發起的董事會雖是一個民間組織，但背後合夥人卻多有豐富的政治人脈。主席是與歐洲各國熟識的塞奇威克（Theodore Sedgwick），在與當時擔任美國國務卿的好友韋伯斯特（Daniel Webster）的合作下，特別向全世界徵集展館設計方案。其中，包括倫敦水晶宮的設計者帕克斯頓，還有紐約州議會大廈設計者愛德里茲（Leopold Eidlitz）等多人都積極爭取。有主張要呈現美國創新特色的展館，也有因水晶宮獲得熱烈矚目的說法，主張採取水晶宮方案；最後遂由水晶宮的方案勝出，中央並設有巨大的美國國父，同時也是第一任總統華盛頓（George Washington）的雕像。

　　1853年7月14日，紐約世博會在來自23個國家的5,272位參展商熱烈參與下隆重開幕，隔天並由當時擔任美國第十四任總統的富蘭克林・皮爾斯（Franklin Pierce）前來主持盛大的開幕典禮。

美國第十四任總統富蘭克林畫像

「奧的斯」幾乎已成爲現代電梯的代名詞

焦點1——電梯驚險登場

這屆世博會，美國參展商即占了快四分之一，有1,467位。水晶宮連同內部展品，其總價值達到500萬美元，而當時最令美國引以爲傲的礦業部分，273位參展商帶來的展品價值總共是12.5萬美元，包括來自淘金地的8.3萬美元金礦展品。這些金碧輝煌的藝術品、創新的工業產品燦爛耀眼，讓整個水晶宮呈現出繽紛熱鬧的美麗景象。

最著名的當屬美國人奧的斯（Elisha Graves Otis）發明的自動安全升降梯，也就是電梯。事實上，早在古羅馬時代就有靠人力控制的簡易升降梯，但卻沒有任何的安全裝置，隨時可能因爲繩子斷裂而摔落。這次奧的斯電梯的展出，還是伴隨著令人驚愕的「演出」，才一舉打響知名度。

奧的斯這位名不見經傳的機械工程師，他特地站在升降機平臺上，當平臺升至大家都能看得

到的高度時，突然命人砍斷繩纜！正當大家以爲平臺掉落，即將發生慘劇時，升降機卻因爲安全裝置的啓動而緩緩下降。這一戲劇化的轉變，當場獲得熱烈的掌聲；更重要的是，從此改變了建築的高度，讓城市的風貌有了更嶄新的蛻變，進而影響人類整個生活方式，開始向上延伸。

焦點2——國際品牌的出現

　　這屆展出的各式創新產品中，除了電梯，還有許多當代著名國際品牌的首次露面。譬如當今世界上最大的珠寶公司之一蒂芙妮（Tiffany），那時也不過是開在紐約百老匯大街259號上的一家文具及日用精品店，展出的銀器雖獲得銀獎的殊榮，但誰也沒想到現在竟是奢華與經典珠寶的代名詞。

史坦威已成現代鋼琴的代名詞

另外，目前已成鋼琴代名詞的史坦威（Henry. E. Steinway），亦是於1853年在紐約成立公司，並隨即在水晶宮中展出它最引以為傲「最好的鋼琴」。此後，史坦威鋼琴並多次在世博會上展出。

閉幕之後

長達16個月的紐約世博會，門票售出根據參觀時間、年齡，甚至是職業作區分，並針對學生、旅遊代理商和勞工提供優惠。其中，季券是10美元，成人券為50美分、兒童券25美分，週六券25美分，私立學校學生券25美分、國立學校學生券12.5美分，鐵路或輪船入場副券25美分，產業工人券25美分等。

奇怪的是，在展期長、優惠多的情形下，這次的活動獲利依然沒有增長，甚至到了1854年時，還累積了10萬美元的債務；在董事會主席塞奇威克被迫請辭後，由出色的展覽娛樂業經紀人巴納姆（P. T. Barnum）繼任，希望透過其豐富的經驗招攬更多人前來參觀，然而，最後還是無力回天。1854年11月1日世博會閉幕時，此時債務總額已達到30萬美元。

為了減輕負擔，展期結束，董事會將水晶宮等展廳陸續出租給各種會議和音樂會使用，並在1857年5月販售給紐約市政府。遺憾的是，同年10月正值舉行美國協會（American Institute）年展，一場突如其來的火災，將水晶宮連同現場所有展品迅速化為灰燼，還好當時場內2,000名觀眾最後撤離成功，算是不幸中的大幸。

1855年第一屆巴黎世博會

Exposition Universelle des produits de l'Agriculture,
de l'Industrie et des Beaux-Arts de Paris 1855

源起——以和平之名

　　1855年法國以慶祝歐洲自1815年滑鐵盧之役後歷經40年的
和平為由，在巴黎首次舉辦世博會。並且為凸顯法國所舉辦的為
真正的博覽會，會場面積不僅比倫敦水晶宮大了1.5倍，更重要
的是，還特別設立單獨的藝術宮建築，藉以表現出英國只重工業
技術，而法國則是除了工業，還有藝術人文等美麗的傳統。

焦點——第一大獎勝家縫紉機

　　當然，法國除了著重在藝術文化的發揮外，工業技術也是不
可或缺。譬如世界第一臺由美國勝家（Singer）出品的縫紉機得
到了第一大獎、新金屬元素鋁的發表等，都首度在會場亮相。此
外，紡織技術與設計上的成果，也是此次展示重點，意在強調自

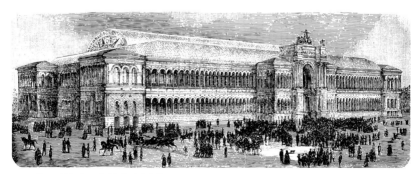

1855年，法國巴黎首次舉辦世博會

身的精緻與英國製造的粗品有所不同。這一次，法國的雕刻繪畫更是成為眾人注目的焦點，而且特別標榜藝術性的重要這方面，成為日後所有博覽會仿效的典範。

總而言之，這次擺脫猶如英國水晶宮純粹展示製造技術的內容，法國更進一步強調製品在商業市場上的運用與價格，每一個物件都有標價的做法，成為日後許多博覽會採用的方式，也造就博覽會經濟面的發展效益。

閉幕之後

雖然這次的博覽會，從經營的角度去看，並不算成功，5,162,330人次的參觀人數並未超越倫敦世博會，收入也短欠800餘萬法郎，更無法與倫敦世博會相比。不過，仍有法國民眾藉由此次展覽，得以促成政府降低關稅；而英國女王維多利亞破天荒的造訪參觀展覽，讓這場博覽會也成為英法同盟的重要接著劑；再加上鞏固巴黎作為法國政經文化首都的功效等實質上的收穫，整體來看，成果還是豐碩的（呂紹理，2005：57-58）。

另方面，這次博覽會中，混凝土、鋼鋁製品和橡膠的呈現，大幅改變了人類的生活。當時，拿破崙三世曾說，希望這次世博會不僅僅是新奇玩藝的集合地，而是全世界工業、商業和文化藝術領域的一個傳播文明的淵源。

1862年倫敦世博會
London International Exhibition on Industry and Art

源起——慶祝首屆世博10週年

　　1851年首屆世博會的成功，讓英國對於再次舉辦的計畫，顯得躍躍欲試，而且英國也早就訂好在1861年，以紀念首屆世博會10週年爲名，再次隆重舉辦；只不過，後因展館的建設有些延宕，直到1862年才展開。但，這次的世博會還是面對了不少困難。1859年的義大利第二次獨立戰爭，由於事涉法國、奧地利，所以又稱爲薩奧戰爭或是法奧戰爭；接著又是1861年爆發的美國南北戰爭。這些，都或多或少影響到倫敦再次舉辦世博會的過程。

過程——依序進行，排除萬難

　　之前的成功經驗，讓英國在一切都上軌道的情況下，很快就能排除萬難，成功舉辦世博會。譬如英國工業領導層、1851年世博會委員會、皇家藝術協會等，各個主要組織紛紛表達支持，成爲最堅實的後盾，接著，就決定好了會址，確定是倫敦南肯辛頓的皇家園藝學會（Royal Horticultural Society）。

　　至於，常令人頭疼的資金問題，也是水到渠成。先是1860年初就已募集到25萬英鎊的資金，英國中央銀行又提供25萬英鎊貸款用於工業館的建設。直到維多利亞女王頒令准予組織者籌辦世博會，並向各國發出邀請。一切，都已呈各就各位，大勢底定之態勢。

位於倫敦南肯辛頓，美麗的皇家園藝學會

　　英國因爲有了前次的成功經驗，在許多地方實行起來，都顯得從容不迫而有條不紊，譬如上次的水晶宮，因爲面積不夠大，展出的東西又多，現場多少顯得有些紊亂。這次，不僅在面積上開闊許多，而且給了參展者更多的發揮空間，讓他們可以自由處理分配到的展覽區域。再者，似乎因爲曾創造出像水晶宮那樣深具歷史意義的代表性建物，所以這次就沒有過多的要求與設計，主題相對明確俐落，也讓人更容易遵循。

　　當然，這是會讓事事要求精準、完美的眾多英國紳士感到不滿，紛紛嘲諷展館不僅毫無吸引力，只適合做車站、軍營或者監獄，甚至以國家的恥辱稱之。儘管如此，這次陳列在展館內，來自各國藝術大師的作品，還是獲得眾多好評，特別是畫廊中巧妙的設計，透過天窗及鋸齒狀屋頂，讓光線自然穿透進來，照

射在英國著名藝術家根茲巴羅
（Thomas Gainsborough）自然
唯美的風景畫上，閒適的悠情，
讓每一個步入畫廊的參觀者，心
情都充滿了愉悅。

焦點——
工業革命後的創造發明

愛迪生發明的留聲機

　　這次展品中，最引人注目
的依然是工業革命後所創造的各
項發明及機械，譬如蒸汽機、鍋
爐、火車頭，以及日常生活中的
創新發明，縫紉機、印刷機等，
還有愛迪生發明的留聲機都出現
在這裡。甚至還有速溶咖啡、熱
狗、漢堡等，種類繁多，令人目
不暇給。

　　其中，絕對不能錯過的是
以英國工程師貝西默（Henry
Bessemer）所命名的「貝西默煉
鋼法」。這種不需要再額外添加
燃料的煉鋼法，雖然現在工業上
已經不再採用，當時，卻因為能
大幅降低煉鐵成本，使鋼鐵可以
代替了其他劣質且便宜的工業材

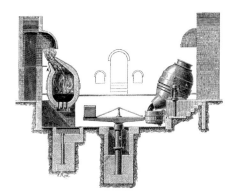

Sir Henry Bessemer.

英國工程師貝西默和他的煉鋼法圖示

料，在煉鋼史上絕對具有劃時代的意義，更是促進產業發展的極
大助力。從此，鋼鐵、鍋爐、橋樑、炮筒等依賴鋼結構的產業和
領域，也都有了進一步的發展。

　　另一個值得注意的是，英國數學家、發明家兼機械工程師巴
貝奇（Charles Babbage）的發明。當時，他所設計出來的複雜機
械，包括差分機，以及可以進行相當複雜的數學計算，具有精度
的第二個差分機，都是超越當時人類想像的發明。

　　而展覽中陳列的分析機，可說是現代電腦的先驅，有暫存
器可暫存資料，其中的構造，十分類似今日電腦中採用的記憶體
和處理器。只不過，當時人的目光都被看似新穎的龐大機械所吸
引，好奇可以生產出什麼樣的產品，對於這具由黃銅配件組成、
用蒸汽驅動的機器能做什麼，其實根本沒有人了解，自然也吸引
不了他們的注意。直到1982年電腦開始普及，大量進入學校和家
庭，大幅地改變了所有人類的生活，這才終於喚回了人們對巴貝
奇的重視。

閉幕之後

　　只是讓人遺憾的事還是發生了，主辦首屆世博會的亞伯特親王突然因病過世，讓人措手不及。由於亞伯特親王作風親民，十分受到人民的愛戴，不僅維多利亞女王十分悲痛，甚至因此避居人世，連這次開幕式都沒有露面，英國舉國上下也籠罩在一層悲傷的氣氛中。

1867年第二屆巴黎世博會

Exposition Universelle
de Paris 1867

拿破崙三世畫像

　　現在的巴黎以浪漫、美麗的花都聞名於世，是許多人一生中必遊的重要城市之地，但在十九世紀以前，卻到處是污穢不堪的窮街陋巷，充斥著垃圾、尿臊味，常讓人忍不住掩鼻匆匆而過，髒亂的模樣，絕非今日的光鮮亮麗所能想像。而今我們所能得見的現代化巴黎，其實要歸功於拿破崙三世（1808-1873）的改造計畫。

源起 —— 拿破崙三世的改造計畫

當時，法國在他的主政下經濟繁榮，產業開始進步，尤其是對巴黎的大幅度改造計畫，為巴黎奠定了現代化城市的輪廓。他所任命的奧斯曼男爵（Baron Haussmann）一連串大刀闊斧的都市重建過程，包括修築寬敞整潔的園林大道，建構現代化的下水道系統，以及設置公園、咖啡廳、新的中央市場等（陳其澎，2004：7），藉由新穎的設計，讓巴黎從一個工業城市蛻變為一個由中產階級為主的商業都市。只是，其中的拆遷安置工程極其繁瑣，亦引起一些人的反對聲浪；為此，拿破崙三世還特別主持設計了「勞動階級住房」，以貼心的人性化思維去作規劃，以便容納更多人居住的空間。這點，倒是與亞伯特所構思的一般平民住宅頗有異曲同工之妙。

過程 —— 「現代都市生活」的誕生

藉由舉辦世博會，法國開始一連串的重建計畫，企圖將一個傳統的城鎮，改造成現代化的都市。而這時的巴黎，也確實因為嶄新的園林大道、咖啡廳、公園、大型博覽會、郊區別墅等設置，而成為「現代都市生活」的誕生地，一如歐爾森（Donald Olsen）所說的：巴黎是「藝術結晶的城市」。一時之間，人們口中的巴黎就是「十九世紀都市文明的表徵」（戴麗娟，2008：2）。

這段時期，世博會的舉辦開始凝聚共識，已經有少數會議和演講藉著博覽會的場合舉行。而且，從日後的世博會也可看出國際會議隨之密集頻繁展開的次數，主題與時俱進並有針對性，漸漸成為與世博會密不可分的一部分（戴麗娟，2008：3）。

焦點1——
各國貨幣度量衡的展示

　　在這屆世博會的重要展示中，陳列各國的度量衡和貨幣，不僅引發了大眾的廣泛注意，更因此促成1875年國際度量標準局的成立，同時，也催生了「萬國郵政聯盟」，成果斐然。

郵票顯示：米蕭父子聯手打造的裝有腳踏板的自行車

焦點2——自行車的首次登場

　　本次世博會是自行車首次接受眾人檢驗的時刻。大家對於出現在展場上，由法國人皮耶・米蕭（Pierre Michaux）和他兒子聯手打造的一輛裝有腳踏板的自行車感到非常有趣，紛紛品頭論

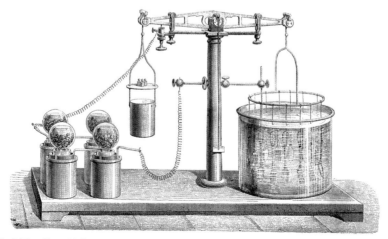

當時展示的一種度量衡

足。這時候的自行車，雖然離1791年法國人製造出的第一輛前後兩個木質車輪，當中以橫樑連接，上面有一個座位的自行車「模型」，已有很大的差異了，騎乘起來較為便利。但，依然沒有多少人真正使用過，甚至是親眼目睹過。

當時的自行車，除了還是由木料所做外，為了加快速度，車的前輪不斷被加大，也因此讓騎乘的危險性提高，常有人從自行車上摔落，造成沒有多少人有勇氣嘗試，發展自然受到限制。直到首次在巴黎世博會亮相，自行車才有了巨幅的改變（李偉、魏琴，2010）。

你知道嗎？

1873年維也納世博會上所展示的自行車已成功進階為金屬材質，車身更堅韌，有更多的變化，開始在歐洲盛行。

1877年，有「自行車工業之父」之稱的英國人史塔利（James Starley）設計的自行車，已和現今大多數人所看到的自行車並無二致，為保持平衡，前後輪大小一致，車閘在內的許多配件也是許多單車愛好者熟悉的模樣。

1878年，法國再次舉辦世博會，嶄新模樣的自行車重新亮相。而這時，甚至已有不少人根本是騎著自行車去看世博會，成為巴黎時尚圈最津津樂道的話題。

焦點3——
藍色多瑙河揚名世界

這次世博會，為刻意凸顯
法國是全人類新秩序的焦點，巴
黎則為新秩序的首都，法國最著
名的學者文人等均投入這個博覽
會中，例如著名文豪雨果為博覽
會執筆撰寫導覽手冊、著名畫家
高第耶則為觀光客導覽羅浮宮
的寶藏等等（呂紹理，2005：
59）。而這一年，也是巴黎舉辦
世博會以來最受惠的一次，現代
化的浪漫花都，至今仍是許多情
侶幻想遊歷城市中的第一名。當
然，這些也和小約翰・史特勞斯
（Johann Baptist Strauss）演奏
《藍色多瑙河》揚名世界，成為
大家耳熟能詳的世界名曲，不無
關係。

　　《藍色多瑙河》的「處女
秀」音樂會雖然是在1867年2月
15日舉辦，但真正俘虜人心、膾
炙人口，還是此時小約翰・史特
勞斯將其改編為管弦樂，並在當
年的世博會上演奏，引起世人矚

小約翰史特勞斯演奏神情的塑像

目而真正受到肯定。自此，不僅成為維也納人最引以為傲的一首曲子，更是全球人人幾乎琅琅上口的世界名曲，甚至因此被視為當年度的世博會主題曲。

閉幕之後

此次，一系列的國際餐飲區的創新設計，使得人們爭相朝聖，雖然也因此招來批評的聲浪；但是，在嚴肅知識技術展示的博覽會中，首度加入的庶民娛樂元素，卻也成為日後博覽會的一大吸睛重點。尤其是美國，二十世紀後，甚至在博覽會中取代知識教化，成為吸引民眾爭相觀看世博會的重要因素。

另外，新的分類展示架構，有別於歐洲中世紀以來市集商品以物品為分類，以及1851年英國世博會首度以「國家」作分類架構。這次世博會成功結合二者，主要以物品性質做分類，然後再以國家分枝成不同區域，此一分類方式，也成為日後許多世博會分類的依歸（呂紹理，2005：59-60）。

從1851年第一次舉辦世博會開始，到1900年二十世紀初，全球舉辦了十次世博會；其中，法國就舉辦了五次。1855年的結果雖然不如預期，財政上還因此以赤字收場，但法國人還是充滿信心地說，要在巴黎舉辦五屆的博覽會（1867、1878、1889、1900）。事後證明，即使遇到諸多困難，法國還是確實做到了，由此可看出其舉辦世博會的斐然成果。

1873年維也納世博會
Welt Austellung 1873 in Wien

源起——恢復往日盛名的企圖

　　1873年的維也納世博會，是歷史上第一次在德語國家舉行的博覽會。原本所有人都是充滿期待，尤其是這時舉辦世博會的國家，幾乎已成強國的代名詞，這對剛從1866年普奧戰爭中失敗的奧地利政府而言，就像一劑強心針，舉國上下莫不賦予很大的希望，企圖藉此恢復過去的盛名。而且1867年法國的世博會，一舉打響《藍色多瑙河》，奧地利亦滿心期望，透過這一次實地舉辦的世博會，讓維也納的名聲從此伴《藍色多瑙河》廣為人知。

　　只是，很可惜的是，這一次的世博會有太多的意外。籌備期間，多瑙河洪水氾濫，讓疏圳拓展的河道工程大受影響；接著，又爆發令人聞之色變的流行性霍亂。這場突如其來的疾病，嚇退許多準備來維也納參觀的人潮，連波斯國王在應邀來之前，也大張旗鼓，派遣王子、侍衛等多人前來探勘，深怕遭受霍亂侵襲。

過程——大刀闊斧式的驟變

　　1870年，當奧地利政府宣布為紀念約瑟夫一世執政25週年，即將在1873年舉辦維也納世博會的那一刻起，全世界的眼光頓時就集中到這個位於多瑙河畔的地方。奧地利也想效法當初法國舉辦巴黎世博會一般，藉此將整個城市改頭換面，蛻變成一座美麗的現代化都市。而且，它的做法更加具有魄力和創新，不是僅僅只興建一個光輝耀眼的經典建築，而是大刀闊斧式的驟變。

　　從世博會的建築設計到舊城區的重新規劃，整個連成一氣，相互呼應的做法，是之前從來沒有過的思維。首先，拆去阻隔在市中心和郊外之間的城牆，同時，疏通拓展多瑙河的河道，並將挖掘出來的大量砂石妥善利用在相關建設上。這麼一來，設計者有了更多揮灑空間：除了工業宮等一系列的展館，突破以往單棟建築的思考模式，開始注意配合周邊環境規劃外，主要依據文藝復興時期風格的設計，從建築本身，到展時的功能、展後場館的功能轉換，也都有了精細而更為全面的考量。

　　從工業宮的建築群，到機械廳、美術館、園藝館等新建190多幢建築，整個世博會把現實和藝術、現代和古老、東方與西方等所有不同的建築元素，全都和諧地融合在一起，開創了歷史中世博會建構大型聯體展覽建築物的先河。很多的第一次，都讓這次多災多難的維也納世博，依然在歷史上留下美麗的傳奇，包括

大型聯體展覽建築物的維也納工業宮

設立獨立的主題展館、統籌兼顧場館的建設與城市的後續規劃、
首次建成大型聯體展覽建築物的維也納工業宮等等。

　　維也納博覽會首度按物品分類分別建造了工業、機械和藝術
等三座義大利文藝復興式的宮殿，而座落中央的工業宮為其中的
核心。這棟直徑354英尺、高284英尺的圓形大廳，象徵約瑟夫
國王的皇冠，不僅是整個會場的地標，更成為日後維也納多次重
要展示集會的場地（呂紹理，2005：61）。

焦點1── 世界第八奇蹟誕生

　　世博會的主建築一開始即備受矚目，而這次負責規劃設計的
斯各特・羅素，因為曾在倫敦首屆世博會的參展委員會中擔任秘
書，結果由他所主導的工業宮，竟有些類似當時被倫敦世博會所
放棄的「官方建築」。當然，除了造型「恰好」類似外，這次所
興建的建築卻是奧地利政府煞費苦心的成果。

　　工業宮的羅托納達（Rotunda）圓形大廳上方，高83公尺，
直徑約110公尺，比世界上最大的聖彼得大教堂中央直徑42公尺
的圓頂穹窿，還要大上兩倍多有餘；為了支撐重達4,000噸以金

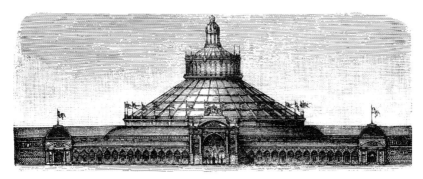

工業宮外觀猶如皇冠般的圓頂大廳

屬結構做成的圓頂，周遭還矗立有32根粗大的柱子。

不僅如此，圓頂大廳還更多了巧妙的設計：頂上有一個直徑28公尺的穹窿塔頂，再上面還有直徑7公尺的小型穹窿燈塔，最高處則是一個奧地利皇冠的巨大複製品，並由皇冠珠寶的仿製品作裝飾，外觀猶如一頂輝煌璀璨的皇冠，陽光下閃閃發亮，讓人不敢逼視。這樣規模龐大的工程竟只耗費了18個月的時間！世博會期間共有206,270位參觀者爭相朝聖，踏著臺階登到圓頂皇冠處，飽覽維也納城市的迷人風光，並讚嘆著建築物的龐大與美麗。

此外，包括圓頂大廳面積達7萬平方公尺的主建築外，與旁邊建築還有設計精巧的長廊相連，每一條動輒寬度就有一、二十公尺，長度更是上百公尺。建築與建築之間還有庭院，將整個展館串連起一個完整而具有規模的建築群，每座展館聯排、間距整齊，使各個展館既有獨立的空間，又顯得整齊集中，讓人不得不佩服當初設計者的縝密構思。

焦點2 ── 茜茜公主最吸睛

維也納世博會以主題性的展館為名，其中最引人注目的是奧地利設計的皇帝展館。這個精美而華麗的建築，本身就吸引不少人的注意，畢竟很多人都會對神秘的皇室生活感到好奇，不管是大理石、織錦、繪畫或家具，展館中的一切都引發許多人的想像和讚嘆。

不過，最吸睛的應該是皇室本身了。因為這一屆以紀念奧地利皇帝兼匈牙利國王的約瑟夫一世（Franz Josef I）登基25週年為名而舉辦，會中邀請到的嘉賓很多都是歐洲的皇族顯貴，譬

如來自羅馬尼亞、義大利、西班
牙、希臘、荷蘭、德國的眾多皇
室國王、女王及公主等等。當
然，其中最耀眼的就是約瑟夫一
世的妻子茜茜公主（Sisi），她
的美，竟當場讓波斯國王忘了該
有的儀容及禮儀，忍不住在人前
拿起眼鏡細細端詳，並毫不掩飾
地大力稱讚。

約瑟夫一世和茜茜公主的紀念碑

焦點3 —— 電氣化時代來臨

　　對於電，當時人類還是停
留在很多未知的狀況，有沒有
電？在哪裡？怎麼產生？雖然已
經有了發電機知道如何發電，但
如何使用讓它轉換成機械能、動
能，人類其實是一籌莫展的。
這一年的世博會，比利時的發
明家格拉姆（Zénobe Théophile
Gramme）將環狀電樞自激直流
發電機，不小心接在另一臺發電
機，卻激發了發電機運轉！

　　當時，在展場中的工程師看
到格拉姆因為這一錯誤的舉動，
發現第一臺發電機發出的電流，

比利時出生的法國發明家格拉姆雕
像，用以紀念他的發明

在進入第二臺發電機電樞線圈裡時，竟能使得這臺發電機迅速轉動起來，發電機瞬間變成了電動機。驚喜之餘，立即設計了一個新的表演區：用一個小型的人工瀑布來驅動水力發電機，發電機的電流再帶動一個新近發明的電動機運轉，而電動機又帶動水泵來噴射水柱泉水，引得圍觀群眾驚聲歡呼。

這個美麗的錯誤，直接促成了日後馬達的問世，揭示電氣化時代即將取代曾經轟動一時的蒸汽機時代。人類關於電的應用，前進了一大步。

你知道嗎？

對現代人來說，「電」是再普通也不過的事了，殊不知，光是發現到電的存在，對人類來說，就是上千年的漫長過程。

最早史籍上記載的是古老的地中海，再來就是西元前600年左右，希臘哲學家泰勒斯做了一系列關於靜電的觀察；接著，又經過了2,000年的漫漫光陰，直到十六世紀中，英國醫生吉爾伯特（William Gilbert, 1544-1603）提出電性有負電與正電兩種，同電性相斥、異電性相吸的原理；吉爾伯特對於電和磁特別有興趣，被後世稱為「電學之父」。

閉幕之後

這一年爆發了大規模的經濟危機，維也納的債券交易出現問題，緊接著，24小時之內，股票大幅貶值、信用全面癱瘓、有價證券交易中止。而且，危機很快地蔓延到歐洲各國，一場影響深遠的世界性經濟危機全面爆發。更糟的是，當時很多世博會周遭的旅館和飯店業者，看好此次世博會的商機，因此大肆哄抬房價，導致高得離譜的價格，連很多有錢人都被嚇跑。種種因素累積起來，引發更多人對這屆世博會的不滿。

最後總計，從1873年5月1日開幕到11月2日閉幕，僅有725萬人次參觀，獲得的收益也僅有總投資956萬美元的六分之一而已，被認為是十九世紀嚴重的財政損失案例之一。

但，仍無法磨滅此次世博會所產生的眾多影響，以及對世人的貢獻。

值得一提的是，當初在規劃展館時，已考慮到世博會結束功能後的轉變。後來，工業宮部分成為維也納玉米交易所，機器廳等則是用作北方鐵路貨物和穀物儲存中心，也算是物盡其用。可惜的是，英國水晶宮在1936年被一把無名火所吞噬，隔年，維也納工業宮圓頂大廳也遭遇同樣的命運而在一夕之間飛灰煙滅。

1876年美國獨立百年博覽會

Centennial Exhibition of Arts, Manufactures and Products of the Soil and Mine

源起——美國獨立100年

　　自從脫離英國獨立的那一刻起，美國就在各方面極力表現，想要證明自己雄厚的實力。第一屆英國倫敦世博會中，不管在量或質上面，美國均以驚人的表現贏得舉世注目的眼光，馬克思就曾說「世界的經濟中心正在轉移」這類的話。因此，透過世博會躍上國際舞臺，對正在累積國力的美國來說，絕對是刻不容緩的大事。

費城世博鳥瞰圖。來自四面八方的各國民眾湧入會場

　　爲了避免重蹈維也納世博會的覆轍，這次美國舉辦世博會時顯得格外「小心翼翼」，以慶祝美國獨立百年爲名的費城，不僅在做法上更爲周全，考慮得也更細密。

過程——向民間募資

　　1871年3月3日，美國國會首先正式通過舉辦1876年「費城世博會」的決議案，成立「美國獨立百年展委員會」負責籌辦世博會的一切事務；同時，以維也納世博會作爲前車之鑑，亦明確規定，美國聯邦政府對世博會及其此類事務所產生的費用均不負有任何責任。換言之，各州、各城市想要舉辦世博會，一概由主辦單位自行向民間募資；這不僅是美國政府對於世博會相關資金的籌措問題，最早、最明確的規定，這樣的模式也一直延續到現在。

費城世博的主要舉辦地在費爾蒙特公園

　　走過這一道道猶如關卡的過程，這一切，並沒有難倒極力想要主辦世博會的美國。

　　1872年6月1日國會再通過一項決議案，就是成立「百年紀念展融資部」專門負責籌集和使用資金，並授權融資部發售股票和紀念章。這麼一來，融資部在發售三個月每份10美元債券的情況下，很快募到250萬美元的資金，雖然僅占當時發行總值1,000萬美元的四分之一，卻給了當時主辦單位極大的鼓舞。而且，為了再繼續增資，融資部另外又出售美國獨立百年紀念品等，又陸續獲得了50萬美元的資金，讓人不得不佩服美國的商業頭腦。最後，費城市及其所在的賓夕法尼亞州又分別撥款150萬及100萬美元，讓這次在費城舉辦的世博會獲得了極大的成功。

焦點1──自由女神像首次登場

　　美國紐約哈德遜河口自由島上，頭戴象徵七大洲冠冕、手執《獨立宣言》，上面鏤刻著美國的建國之日為紀念的自由女神像（Statue of Liberty），幾乎是無人不知、無人不曉。這座當初為紀念美國獨立百年，終結奴隸制度的傑出作品，不管是對法國或是美國而言，均是意義非凡。

　　首先，製作時間長。1871年法國著名雕刻家巴特勒迪（Frédéric Auguste Bartholdi）訪問美國時，即表達想要塑造一尊象徵新大陸自由精神的女神像贈送美國。從1874年開始設計，到1884年5月全部竣工，工程之浩大可想而知。

　　其次，當時的法國政治動盪，資金籌措不易。而美國，則是必須在自由女神像抵達前，先將底座建設好；要完成當時世界上最高的紀念性建築，連同底座高達100公尺的銅像，實屬不易。

至於內部支撐的鋼架，是由因建
造巴黎艾菲爾鐵塔聞名於世的法
國工程師艾菲爾所設計，以120
噸的鋼鐵爲骨架、80噸銅片爲外
皮，30萬隻鉚釘裝配固定在支架
上，總重量高達225噸，最後分
裝成210箱後，再由法國拖輪運
至紐約組裝。

　　製作時雖是一波三折，自
由女神像卻是日後美國最引以爲
傲的標竿，讓美國總統格蘭特大
讚：「我們國家從此擁有了自由
的象徵！」職是之故，雖然在當
時費城首次局部登場的只有舉起
火炬的手臂，就已引起極大的轟
動和討論。

1876年在費城世博登場的，是局部完
成的舉起火炬的自由女神像手臂

焦點2 —— 克里斯蒸汽機

　　這屆的世博會共有37國參
加，一開始即備受矚目。5月10
日開幕當天就吸引超過13萬人爭
相朝聖，而且歷時半年，平均每
天有6萬多人。

　　其中，最爲人津津樂道的
展品，除了局部的自由女神像

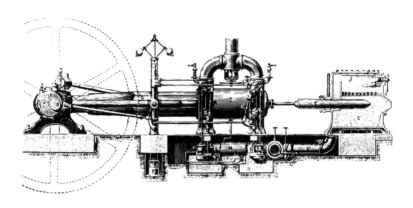

克里斯蒸汽機是當時世界上功率最大的蒸汽機

外，還有愛迪生發明的電報機，以及由美國總統格蘭特與巴西國王佩德羅二世一起聯手啓動，總動力源爲600噸、功率12,000千瓦，當時世界上功率最大的蒸汽機——克里斯蒸汽機（Corliss machine）。當蒸汽機啓動的那一刻，千百臺機械和泵齊聲轟鳴，如雷聲般的巨響在展廳中隨著人們的歡呼一起振動，就像揭開了費城世博會成功的序幕。

焦點3——中國政府首次派員參加

本次同時參展的中國，也成爲大眾熱烈歡迎的焦點。根據當時身在現場的中國海關代表李圭在《環遊地球新錄》中所寫，「每至一處，竟若身入重圍，幾不可出」可看出一二。在這次中國政府第一次正式派出官員參加的世博會中，不少中國工商界代表，以及當時在哈佛留學的中國少年，伴隨中國眾多琳瑯滿目的展品一起露面，受到不少矚目，連當時美國總統格蘭特還特地撥冗接見。

　　盧慧紋（2006-2008：2）的研究指出：「位於馬里蘭州的巴爾的摩市的華特美術館（Walters Art Museum）少為人知，然而它的藏品事實上質量均佳。Walters父子留下不少購買博覽會展品的交易文件與筆記，現皆存於華特美術館的檔案中，這其中以關於1876年費城萬國博覽會的資料最為豐富。檔案中有一本封面題為『Centennial Exhibition 1876: Objects Purchased, H. Walters, 68 Exchange Place, Baltimore, MD』的筆記本，Henry Walters在其中記錄了費城博覽會期間接觸過的中、日參展骨董商、他們所展出的作品名稱、編號與隨手畫下的簡圖，還有作品出售金額。」由此可知，當時中國展品的深受矚目。

閉幕之後

　　日後美國舉辦世博會時，資金問題常成為他們最大的考量。宣揚國力或重建都市、興建經典建築，已不是美國舉辦世博會主要的目的，而是從獲利考量著重於商業化的規劃，因此讓美國舉辦的世博會漸漸失去了吸引人的目標，虧損問題也愈來愈嚴重。

　　1984年的紐奧良世博會，因為財務失敗而提前一個月宣布破產，是歷史上唯一宣布破產的世博會。美國從此退出世博會的主辦舞臺，並在2001年4月10日宣布退出管理舉辦世博會的《國際展覽公約》。

　　2010年中國舉辦上海世博會時，美國才剛經歷過2008年底的金融危機，很多曾被視為「巨人」的大型企業垮臺，譬如雷曼兄弟的倒閉，根本拿不出錢來資助參展所需要的6,500萬美元資金。最後還是國務卿希拉蕊親自發函給上海的美國商會及眾多美

中行會，戴爾、百事等跨國大企業答應贊助，才使美國館在最後一刻得以加入。

1878年第三屆巴黎世博會
World's Fair of 1878, Paris

源起——恰逢第三共和國成立3週年紀念

這一年恰逢巴黎準備慶祝第三共和國成立3週年紀念，市政部門決定將塞納河地區的開發與世博會的舉辦結合起來，將塞納

巴黎世博會熱鬧的場景

河河畔打造成世博會的重要軸
線，以此展現巴黎之美、世博會
之隆重。因此，也專門打造了一
條「萬國街」，將各國建築集中
在一起展示，也讓巴黎這個城市
更加顯得與眾不同，讓在地生活
的人更加醉心於他們居住的美麗
城市。

過程——規模制度漸趨完整

　　1878年的世博會，一般被
認為是十九世紀下半葉所有博
覽會中，最強調智識性質的一
次。「這次世博會是第一次正
式將國際會議與演講（congrès
et conférences）編入博覽會的
預算項目中，並由主辦的農商
部（Ministère de l'agriculture
et du commerce）部長以政府
機關法令（arrete）賦予正式
地位，同時制訂辦理規章及指
定專門委員會負責等等。該年
共有32場為期數天的國際會議
（congrès）以及47場演講或單
天會議（conférences）在博覽會
期間舉行。這些會議或是由學會

莫內作品「蒙特吉爾街的節日」
（1876.6.30）畫下巴黎慶祝世博的熱
鬧景象

團體主動申請辦理，或是由籌備委員會委託辦理，依照展覽的分類，總共被分爲十組。也就是說，在1878年博覽會總辦事處的規劃中，國際會議應該與展覽相關，或是爲了彌補物品展示無法表現的思想部分，或是爲了加強說明展覽的知識內容。」（戴麗娟，2008：2）

這個概念和方法爲後來的世博會主辦單位所援用，大部分會議也都依照該次展覽的主題分組來歸類，漸成制度。而且會後除了官方報告外，還有會議紀錄，只是後來因爲考慮到預算問題，必須掌控收支，在出版預算上就有了大幅度的縮減。

焦點──科技人文並重

這一年的世博會，更加彰顯工業革命以來對一般人民的影響，眾多可應用在日常生活上的新科技、新產品陸續出現，譬如：人們首次看到美國貝爾發明的電話，從此，通訊工具從電報轉向電話，人與人的距離更加縮短，溝通更加快速；而愛迪生發生的留聲機，亦是劃時代的發明；此外，讓人印象深刻的，還有汽車、冰箱等。

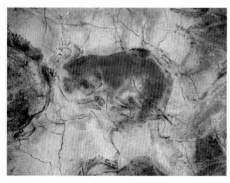
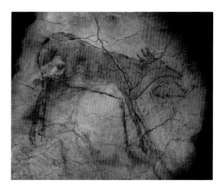

阿塔米拉洞穴內的舊石器時代壁畫

　　而在法國展館中陳示的舊石器
時代藝術品，竟意外找回一萬多年前
已經隱沒在荒煙漫草，屬於人類瑰
寶中的一段歷史「阿塔米拉洞穴藝
術」（Altamira Cave Painting）。當
時遠自西班牙來參觀的遊客索圖拉
（Santuola）看到場中陳列的展品，
包括骨雕和岩石上的圖案時，覺得非
常熟悉。隔年，他帶著女兒再度來到
阿塔米拉，在洞穴的岩壁上看到似曾
相識的彩繪時，不由得大驚；原以為
沒什麼意義的塗鴉，竟是一萬多年
前，史前人類最美麗的創作，這個洞
穴也因此成為考古人員眼中的珍寶。

雨果，是法國詩人、劇作家、小
說家、評論家、視覺藝術家

　　無巧不成書，當年巴黎人類學學
會主動申請籌辦人類學國際會議，從
1878年8月16日到21日期間，報告與
討論主題包括人體測量、顱骨測量、
犯罪人類學、人種觀察、史前遺址觀
察等。此外，也安排與會者參觀幾個
相關博物館的收藏，如國立自然史博
物館、巴黎人類學學會陳列室、聖哲
曼史前博物館等（戴麗娟，2008：
3）。這屆世博會更加重視異國文化
和風俗，中國館也更具民族特色，會
後也被法國人保存下來。

閉幕之後

這年的巴黎世博會批准召開包括國際郵政大會在內共38個國際大會，其中雨果（Victor Hugo）主持的作家大會特別著重討論保障文學作品產權問題，直接促成了國際版權法的制定。

1889年第四屆巴黎世博會
World's Fair of 1889, Paris

起源——法國大革命百年紀念

從第一次舉辦世博會的那一刻起，巴黎即開始了一連串的蛻變過程，1867年的世博會確定了以塞納河兩岸為起始軸線，興建經典建築與設計，留下每一次的歷史性足跡，譬如巴黎街頭處處可見的瓦拉斯噴泉（Fontaine Wallace），即是1889年舉辦世博會之前，為方便遊客飲水所設計的設施。而其中，以代表著巴黎為發源地奇景的艾菲爾鐵塔為最，不但引起熱烈矚目，甚至被視為十九世紀創造觀賞性大眾文化的鼻祖（陳其澎，2004：8）。

1889年，恰逢法國大革命百年紀念，當法國政府決定在當年舉辦的世博會上留下一個永久性的建築時，收到了來自於各地約一千份的創意方案，其中，還包括設計一座巨大斷頭臺以象徵帝國的死亡，或是塔上雕刻有英雄雕像和浮雕以描述大革命的巨型金字塔。但，其中最使人驚訝的是來自於艾菲爾（Alexandre Gustave Eiffel）的金屬拱門塔方案。

焦點1──艾菲爾鐵塔

　　「建造一座新穎的金屬凱旋拱門來爲現代科學和法國工業增光，」當時，艾菲爾曾信誓旦旦地這麼說道。

　　然而當時，除了倫敦的水晶宮之外，十九世紀的巴黎仍然崇尚文藝復興時代的古典主義風格，在建築上，以鋼鐵結構爲主的艾菲爾鐵塔很難讓人們理解。文學藝術界群起反對，連巴黎傑出的哥德建築學派專家都口口聲聲說，以數學的角度來考慮，鐵塔必然倒塌。但，最終呈現的成果，卻出乎所有人的意料。

　　建造的當時，沒有現代化的科技設備，連最基本的輔助腳架都沒有，一切全仰賴精密計算和嚴密管理，將一根根沉重的鋼材憑藉手動液壓裝置移到精確位置，再由人工揮舞鐵錐，將一個個燒紅的鉚釘，一錘錘鉚接固定。其實，即便以現在的眼光來看，還是很艱鉅的任務：在動用15,000根鋼材、250萬個鉚釘後，僅僅28個月就完成了57.63公尺的第一層、115.73公尺的第二層，及276.13公尺的第三層。

建築師艾菲爾和他設計的鐵塔

世博會期間，登塔成為參觀的主要目的和流行，許多人、許多國家曾因這次世博會主題之一是慶祝法國百年革命而卻步，卻為艾菲爾鐵塔而給了自己一個很好的參觀理由，爭相到塞納河畔欣賞這座世博會的主要焦點，這時，共有200萬的人在會期參觀了鐵塔。今日，每天更有從世界各地蜂擁而至的遊客，讚嘆這座可以鳥瞰巴黎全景的建築。

焦點2 —— 確定國際勞動節

十九世紀中後期的法國，是一個主張大肆將權力擴張到國外的殖民帝國，雖然國內是由自認承繼人權宣言的共和派所主導，但法國堅信他們是在將文明帶到殖民地，對當地居民是友善的行為，因此，合理化對某些國家的「外交政策」，亦對於相關勞動所產生的議題更加關注。

當時，博覽會中出現一種全景攝影（panorama）的虛擬實境，利用布景、道具、蠟像布置出不同的場景。以虛擬實境的方式，呈現許多異國的民族場景，譬如爪哇舞蹈、埃及開羅街景，都被移植到了這次的世博會（陳其澎，2004：9）。這樣的方式，不僅為當時社會所注目，虛擬的亞洲與非洲土著村莊，還有殖民城市也成為學者們研究討論的重點。

表現在學術研究上，儘管當時的巴黎人類學學會沒有以廣義人類學為名，申請舉辦國際會議，其會員卻申請了以細分的專科為名的國際會議，一是史前人類學與考古學會議（Congrès d'anthropologie et d'archéologie préhistoriques），另一是犯罪人類學會議（Congrès d'anthropologie criminelle）。而且，從成員接受博覽會主辦單位的委託，負責以人類學展品表現與大會主題

「勞動」有關的人類演進史外，還爭取到一個專門的展覽攤位，
足見其權威地位有進一步受到主辦單位認同的趨勢（戴麗娟，
2008：4）。這段期間，在國際會議上並通過一項決議，確定每
年的5月1日爲國際勞動節。

閉幕之後

　　1889年11月6日，法國卡爾諾總統主持了盛大的閉幕儀式，
世博會明星愛迪生則用新近發明的留聲機，播放艾菲爾宣布閉幕
的聲音作爲博覽會閉幕節目，爲這次的巴黎世博會畫下完美的驚
嘆號。

　　艾菲爾鐵塔不僅超出當時世界上最高的埃及胡夫金字塔，連
德國著名的科隆大教堂及塔高161.53公尺的烏爾姆大教堂都望塵
莫及。這個紀錄一直保持到1930年紐約克萊斯勒大廈建成。直到
現在，世界各大城市競相建造高塔或是最高建築，以期透過該地
標或符號，爭取成爲世界知名城市的一員，不能不說是艾菲爾鐵
塔的「功勞」。

1893年哥倫布紀念博覽會
World's Columbian Exposition

　　1833年芝加哥鎮剛成立時，居民不過350名，1837年建市以
來，突飛猛進的發展，讓這座位於美國中西部的城市，目前成爲
僅次於紐約、洛杉磯的第三大都會區。其中，1893年芝加哥主辦
世界博覽會，成功吸引到總共2,750萬遊客前來參觀，絕對不無

芝加哥世博會場

關係。陳其澎（2004：2）的研究中就有這麼一句話：「1893年
哥倫布博覽會讓芝加哥獲得建設現代化都市的契機」，由此可以
看出這屆世博會是以紀念哥倫布發現新大陸400年為名，實際上
卻是芝加哥藉此蛻變為現代化城市的過程。

源起——哥倫布發現新大陸400年

當時，除了芝加哥，還有聖路易斯、華盛頓、紐約向國會申
請舉辦新大陸發現400週年紀念世博會，競爭十分激烈。但信心
滿滿的芝加哥商界早就籌集了500萬美元作為世博會資金，並在
國會聽證會上強烈表示自己的決心，提出芝加哥所擁有的眾多優

點，譬如：芝加哥是鐵路樞紐和西部的商業中心，所選會址面積大且交通方便，有充足的旅館和舒適的住所，足以容納數以萬計的遊客。

　　更重要的是，美國舉辦世博會必須自籌資金、自負盈虧，尤其紐約世博會債務累積達到30萬美元，曾經面臨的財政困窘，不少人仍記憶猶新。而這時，芝加哥不僅已籌足資金，人們的捐贈還在持續不斷增加；再加上先天地理環境優越，位於9個州的中央地區，是商品的集散地，也是公路、鐵路、航運的交通要道。於是，1890年2月24日，眾議院最終選擇了芝加哥，獲得舉辦包括藝術、製造業、商業、園藝、礦業和海洋產業的世博會機會。

過程——建築設計上的巧妙

　　選在傑克遜公園內的世博會，看中密西根湖畔美麗的自然環境，靈機一動，做出了別出心裁的設計——利用美麗的湖水，建構穿梭會場四通八達的水道，並引進著名水都威尼斯的小舟，方便遊客乘坐，也增添了遊憩的趣味。此外，延伸到會場周圍的高架鐵路和人行道，使人們可輕易抵達會場其他地方，有了便利的交通，更挑起人想去的慾望。

　　占地278公頃的園區內，主要規劃為三部分，包括工藝品館、電力館、機械館、農業館以及交通館、漁業館、礦物館等等。其中，最特殊的當屬婦女館的規劃，足見從1848年第一次在紐約召開女權大會開始，社會大眾已慢慢正視長久以來所忽視的婦女權利。

　　這次展館，除了可容納數萬人，長1,687英尺、寬787英尺、高125英尺的製造和工藝品館，是當時世界上最龐大的建築外；

世博會巧妙運用密西根湖畔美麗的自然環境設計會場

　　行政館展出的文史資料及雕塑作品，從哥倫布時代按時間排列到當代的展品，像是在無形中向人們展示北美幾百年來所取得的進步，也非常引人注目。

　　即使如此，整體建築設計上，取得的評價不一，譬如金色門樓的交通館，似乎和榮譽廣場上白色展館所呈現出的風格相衝突。又或者，大多數的展館都是採用無法長久保留下來的建材，展期結束就會拆卸，被人批評為浪費的聲音也不少。倒是高一百多英尺的美術館，穹窿頂上是巨大的勝利女神雕像，考慮到藏品的藝術價值，採用磚石防火的設計，是唯一一座可永久使用的展館。

焦點1──驚聲尖叫摩天輪

　　摩天輪幾乎每一個人從小到大都曾坐過、玩過，是從什麼時候開始有的呢？這要追溯到1889年法國展出的艾菲爾鐵塔，當時，這個巨大鋼材的落成，不僅引起世界的轟動，也激發了許多工程師的創意，開始聯想到天空的轉輪。芝加哥世博會時，美國設計師小喬治‧費理斯（George Washington Gale Ferris, Jr., 1859-1896）設計了世界上第一部高度約80.4公尺、重2,200噸，可乘坐2,160人的摩天巨輪，由於太受歡迎，便以他的名字命名為「費理斯輪」（Ferris Wheel）。

焦點2──
創新的大眾娛樂文化

　　琥珀爆米花（Cracker-Jack）也是這次世博會的另一個大眾文化的主角。現在看電影、看球賽，幾乎是人手一包的琥珀爆米花，當時，律克海姆（F. W. Rueckheim）利用特殊技術創造

1896年Cracker-Jack的註冊商標

摩天輪是1893年世博的地標

出口味獨特、香味濃郁的琥珀爆米花，甫一出現就吸引許多人爭相購買，因而成為現今美國流行文化的一部分。而曾在1876年費城、1878年巴黎世博會獲得金獎的貝斯特啤酒（Pabst beer），也在這次世博會中，因為一個小小的創意，成為舉世聲名大噪的產品；原本只是想嘗試一種新的包裝創意，在瓶頸上繫一藍色絲綢帶作為標誌，沒想到竟成為大家琅琅上口的「藍帶啤酒」，到了1898年「藍帶啤酒」正式登記註冊，從此，歷經百餘年而不衰。

另一個讓人津津樂道的美國零食經典，就是凱洛格兄弟無意中發展出來的麥片。原本，他們只是發明以穀類為原料的食品，在一次嘗試中，將麥類食品碾成薄片，結果，經過烘烤後，意外的美味。在芝加哥世博會上，凱洛格兄弟為了促銷，還免費大量提供參觀者品嚐，讓這種麥片至今仍是許多人最愛吃的早餐之一。

箭牌口香糖則是小威廉‧瑞格理（William Wrigley, Jr.）創業成功的經典範例。在美國這個自由經濟繁榮的國家中，很多白手起家致富的例子，只要點子好、創意夠，就能迅速累積財富；口香糖剛開始只是他販賣產品時另附的贈品，沒想到意外受歡迎。世博會時，瑞格理看好商機推出「黃箭」口香糖，年底再接著打出「白箭」口香糖，就這樣，又造就了另一個傳奇致富的故事。

以藍色絲帶爲標誌的「藍帶啤酒」

小威廉‧瑞格理因箭牌口香糖而致富

Chapter 3
二十世紀的世界博覽會

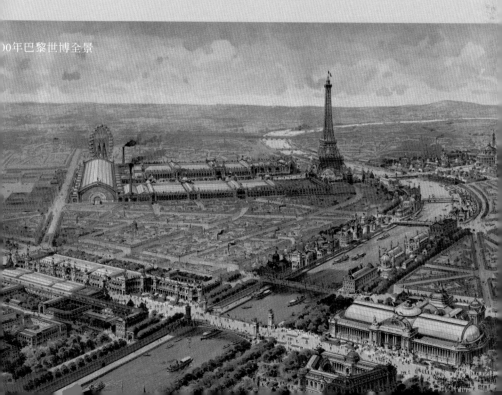

00年巴黎世博全景

1900年第五屆巴黎世博會
L'Exposition de Paris 1900

過程──留下耀眼璀璨的「地標」

這一屆的世博會除了全面回顧十九世紀人類偉大成就外，塞納河畔又多了好幾個經典建築或設計，例如：著名的亞歷山大三世橋（Pont Alexandre III），即廣爲人知的必遊之地；位於羅浮宮斜對面的奧塞美術館，其前身也是爲了當年世博會搭載遊客所建構的車站。

事實上，從1855年到1937年最後一次巴黎舉辦世博會，先後共7次，每一次都爲巴黎乃至全世界，留下了耀眼璀璨的「地

亞歷山大三世橋是巴黎最美的橋。爲了慶祝1892年法俄同盟，俄國送給法國的禮物；1900年巴黎世博會時，和座落於塞納河右岸的大小皇宮一同揭幕

標」。至今，漫步塞納河畔，可說是美
麗浪漫的旅程，沿途風景秀麗，值得駐
足欣賞的建築比比皆是，常教人流連
忘返。

焦點1——體驗虛擬實境

　　這一屆的世博會，亦在展覽館中出
現了利用所謂的「Maerorama」進行模
擬的旅行，讓人在短時間之內可以遊歷
大江南北。這種有場景、有色彩、有音
效，甚至可以散發出特殊氣味所模擬出
來的異國情境（陳其澎，2004：9），十
分受到歡迎。此外，法國人發明的「全
景電影」（Cinerama），使用100公尺長
的白色帷幕作為圓形銀幕的方式，也受
到許多人注意，只是後來認為易引起火
災而禁止使用，不過，這在當時也提供
了一種新的選擇和娛樂，不能不說是一
種「創舉」。

　　值得一提的是，這屆世博會中國也
動員參加，大規模的熱烈參與，讓中國
展館破紀錄地達到了3,300平方公尺，共
有5座建築。而且，幾十名傳統中國工匠
在中國館前公開展示傳統工藝的製作方
式，引起了歐洲觀眾的注意和興趣。

位於賽納河右岸的小皇宮
美術館，即1900年世博展
覽館之一

焦點2──奧運共襄盛舉

　　另外，「現代奧運之父」法國男爵皮耶德・古柏坦（Pierre de Coubertin）因為有感於古代奧林匹克精神可以促進國際體育運動的發展，遂在此屆想藉由巴黎舉辦世博會之際，同時也推展奧運會。可惜的是，古柏坦的本意是利用世博會來擴大奧林匹克運動的影響力，但法國終究只熱中於世博會的舉辦，乃至於很多參加選手甚至不知道自己曾參與過這個現代全世界最受矚目的體育賽事。

現代奧運之父──皮耶德・古柏坦塑像

1904年聖路易斯百年紀念博覽會
Louisiana Purchase Exhibition

源起——路易斯安那購地案百年

今天美國的路易斯安那州僅只是墨西哥灣沿岸的一個州，但在1803年之前，不僅還是屬於法國的土地，面積亦占今日美國國土近五分之一，與當時美國原有國土的面積大致相當。那一年到底發生了什麼事呢？其實，就是美國以每英畝3美分的價錢向法國拿破崙購買超過529,911,680英畝，也就是2,144,476平方公里的土地交易案，當時總值約是1,500萬美元，這就是歷史上有名的「路易斯安那購地案」（Louisiana Purchase）。

為了紀念這一個特殊的日子，1899年聖路易斯世博會提案於2月遞交國會討論，中間經過延期、休會，國會於1903年3月通過。接著，為籌措經費，密蘇里州政府出面向國會申請500萬美元，市政府則撥出500萬美元，並由市民自發募捐集資500萬美元，這種由三方各出三分之一的融資結構，最後幾乎成為美國舉辦世博會的慣例，並為其他國家所參考，譬如1970年日本在大阪所辦的博覽會。

過程——募集資金順利

這次的博覽會看似順利，事實上，早在1893年聖路易斯市也曾試圖爭取，可惜因為旅館不足而被迫放棄，此次便是有備而來。除了順利募集資金外，這次世博會的總裁法蘭西斯（David R. Francis）也是大有來頭，他曾任聖路易斯市長、密蘇里州州

長，並擔任過華盛頓大學董事，擅長經商、投資和外交，人脈廣，這對舉辦世博會有非常大的助力。

譬如舉辦過程中，發現所選的森林公園（Forest Park）西半部的場地不夠大，他馬上協助籌委會和華盛頓大學商量，以75萬美元租下整個校園，於是該校也成為世博會的展覽項目之一。雖然開幕前，聖路易斯曾下了一場長達十幾個小時的暴風雪，讓許多人都很擔心。但到了4月30日開幕這一天卻是晴空萬里，預示著世博會的成功。

事實上，這次無論是展館數量，或是娛樂設施，其規模都是空前的。除了各個展館裡的陳列品不是小尺寸的模型，而全是接近實景的農場、礦場、學校、火車、汽車等外，森林公園內散布著約1,500個大小建築，精心安排的展示內容和娛樂，在在吸引著從各地蜂擁而來的人的目光。

焦點1——匯集工業革命以來的產業精華

八個主題展館，包括：生產館、綜合工業館、教育和社會學館、電氣館、機械館、運輸館、礦物學和冶金學館，以及文理學

華盛頓大學大學城鳥瞰

森林公園一角：音樂臺

科館，各具特色。尤其是備受矚目的電氣館，在那個通訊科技還不發達的年代裡，只要用無線電就可以和遠方的親朋好友說話，是多麼神奇的事！

　　本次博覽會可說是匯集了工業革命以來，急速發展的產業精華。像是面積最大的運輸館，約有九個橄欖球場大，裡面展示著從波士頓、紐約、芝加哥、費城等地開過來的一百多輛汽車，在那個汽車並不普及的年代裡，所造成的轟動自是可想而知。機械館中則是陳列著各種能源發動機、新型機器，來自全球的創新發明及機械，不僅一次滿足人們的好奇心及求知慾，更成爲許多亟欲創造商機的實業家急迫挖寶的重要之地。

　　文理學科館中有各式排版機和印刷機，其中，甚至還有設備齊全的印刷場，當場印行聖路易斯世博會雜誌；專設的醫院，有醫療儀器、醫生護士，可看病可展示，兩相兼顧。礦物和冶金學館展出的工人實際開礦和生產石油情景，及來自世界各地的原礦石陳列，都是平常不易看到的事物。

　　值得一提的是，這次開幕和閉幕的地點，都是在可容納三千多人位置的慶典館。舞臺上的巨大管風琴，是從洛杉磯專門訂製的，還動用了12節火車車箱運送到聖路易斯，是當時全球最大尺寸的管風琴。正因爲這次的規模、數量及呈現內容非常精彩而盛大，以至於同時舉辦的奧運會竟被視爲世博會的娛樂節目之一，與今日奧運會的吸睛程度相比，不可同日而語。

焦點2 —— 清政府受邀正式參加世博會

　　本屆是清政府受邀正式參加世博會的一年。副都督黃開甲率領的中國代表團第一個入住聖路易斯世博會會場，並緊隨英國之

中國茶葉大受歡迎

後，成為這屆世博會第二個舉行展館奠基儀式的國家，引起熱烈
矚目：不但當地媒體大肆報導，社會輿論並對清政府的正式參展
給予高度評價，諸如展示的精彩中國藝術和手工藝品大受歡迎，
茶磁賽會公司所做的紅茶、綠茶也都在博覽會上獲得大獎，當時
所帶去的茶葉全部被搶購一空。為了這次世博會，中國代表團特
別製作了中國館的參觀門票，還為當時的慈禧七十大壽舉辦大型
招待會，意義非凡。

　　4月17日，開幕前溥倫貝子抵達舊金山，《中西日報》上還

刊登了溥倫的照片,當天報紙很快賣光。到了8月18日,正在美國展開革命宣傳的孫中山亦抵達聖路易斯,他說:此會為新球開闢以來的一大會(陳錫祺,1991)。

閉幕之後

這次世博會可算是舉辦得非常成功,即使門票要50分美元,被許多人嫌貴;但平均每天就有10萬的參觀人潮,開幕當天更有近20萬名參觀者湧入,足見這次世博會對人們的吸引力。展場占地1,271.8英畝,也是博覽會史上場地最大的一次(呂紹理,2005:48)。

郵票顯示小朋友參觀1904年世博歡樂的情形

1908年倫敦世博會
Franco-British Exhibition

這次的世博會並無特殊之處,只看到熱鬧繽紛的體育活動,生氣蓬勃的人民生活,展區甚至只是位於倫敦西部的一座農田,其展館雖然還是區分為藝術區、進步區、

郵票顯示1908年倫敦奧運的情形

娛樂場等，設計上卻是極其簡單，僅以白色爲統一色調，因此，當時這裡又被稱爲「白城」（White City）。

過程——英法聯手奧運一起辦

儘管這次世博會看似簡單，仍引起許多人的注目，原因在於，除了是英、法兩國聯手舉辦外，更是歷史上最後一次奧運會與世博會同時舉辦。而且，此後，就像是道分水嶺一樣，奧運會迅速發展壯大，甚至超過了世博會的影響力。在此之前，奧運會並沒有受到太多世人關注，1900年巴黎世博會及1904年聖路易斯世博會也都曾經同時舉辦過奧運會，但很多參加過的選手甚至不知道自己也曾參與奧運會，以爲那只是世博會的一部分活動。

而這次倫敦世博會，一開始也沒有預料到會同時舉辦奧運會。當時第四屆奧運主辦國義大利預定在羅馬興建體育館，但因1906年維蘇威火山爆發導致經費困難，只好主動放棄主辦權，國際奧委會臨時向

英國求助。雖然只剩下2年的籌備
時間，但倫敦承諾在1908年如期舉
行奧運會，隨即成立籌備委員會，
並在10個月之內興建完「白城體育
館」，就在博覽會旁邊。

　　沒想到「因禍得福」。倫敦
奧運會舉辦得非常成功，參賽國達
到22個，而且第一次擴及歐洲、
美洲、亞洲、非洲、大洋洲等五大
洲，在某種意義來說，算是「貨真
價實」的世界運動，讓奧運會一次
打響了知名度。另一方面，這次參
加運動員有兩千多名，比前三屆的
總和還要多，陣容十分龐大。

1908年倫敦奧運的勳章

焦點──
嚴謹的比賽制度漸漸成形

　　因此，這屆奧運會開始正視有
關建立各種奧運比賽制度的問題。
這一次，除了破天荒正式頒發金質
獎牌給冠軍外，還首次印發給各國
得獎統計表。看似極小的一件事，
卻是影響日後奧運會成長、茁壯的
主因之一；有了明確的計分，數據
的呈現，為了達到公平讓人心服，

完整而嚴謹的比賽制度漸漸成形，也慢慢將奧運會一步步推向舉世注目，為人所推崇的權威賽事。當然，在這過程中，相對地也會更激發各國、各傑出選手積極參與心態，進而爭取冠軍的榮譽。這算是此次世博會的小插曲，也是一項特殊貢獻。

不論如何，因為是英法聯手舉辦，策展內容明顯放在兩國工業、商業和文化領域內的成就，再加上為了提高大家參與奧運會的興趣，還特別將比賽項目按世博會的展區類別，分在16個區域進行，就這樣邊玩邊看，在無形中增添了不少樂趣，也吸引了更多的人潮。

1915年巴拿馬太平洋博覽會
Panama Pacific International Exposition

源起——紀念巴拿馬運河的通航

1915年名義上是為了紀念巴拿馬運河的通航，另一方面也是舊金山為了擺脫1906年大地震所帶來的夢魘。依據當時官方說法是死亡人數僅500人左右，但今日來看，保守估計就有3,000人，更有人以現場所發生的慘況，加上拍攝的大量照片估計可能高達6,000人以上！不管如何，經過3年多籌備，從1915年2月10日開幕到12月4日閉幕的「舊金山巴拿馬太平洋博覽會」可說是舉辦得十分成功。

過程——大戰影響參展準備

　　1914年爆發第一次世界大戰，讓主要戰場的歐洲各國深受影響，準備時間不夠、抵達日期不一，影響到各國陳列館的開館時間不同。根據記載，當時總共有31個外國國家參展，其中25個為官方邀請，6個為非官方者（周芳美，2007：2）。特別是過程中，確定參與國家的數量、牽涉的代表名義，以及是否允許移居美國的外國人或外國人以私人身分組團，都是到最後一刻才確定。情況之混亂，自是可想而知。但，即使如此，這次還是吸引近2,000萬人前來參觀，發出2萬多個獎章，且沒有任何參賽者因為不滿而提出訴訟。

　　從周芳美（2007：2）的研究也可以看到此次博覽會的概況。會場位於舊金山市西北部濱海處，占地635畝，分為三大

美術宮

部分,中間部分為祭禮堂(Court of the Universe)、珠寶塔(Tower of Jewels),和11個依用途分類集合展示各國成就的陳列館,包括:美術宮、文藝宮、機械宮、礦冶宮、工業宮、交通宮、製造宮、農業宮、食品宮、教育社經宮和園藝。展場的東邊部分為商店和娛樂場(The Zone);西邊部分為美國政府館、外國政府館和美國各州及領地館。

焦點 —— 中華民國首次參與

1912年才剛脫離君主威權制度成立的中華民國,是備受矚目的參與國之一。在美國正式向中國發出邀請函之際,新成立的國民政府也希望透過這次舉世注目的盛會,重塑中國在國際上的形象,因而格外重視這次的參加。

首先,這次的率團代表是由具有多次參與國際博覽會經驗的陳琪擔任,他曾代表清廷到義大利、比利時參加國際博覽會,並在1910年於國內成功舉辦南洋勸業會。

更重要的是,有別於過去只單純的陳列展品,為了這次世博會,各省相繼成立籌備巴拿馬賽會出口協會招商比賽,最後才選定超過10萬件的物品參賽。從《巴拿馬太平洋萬國大賽會遊記》中登載中國不同展館的照片,可看出這次展會,在重達2,000多噸的中國展品裡,雖然大部分還是分布於手工業和農業等領域,但參展商品的範圍已較以往有所突破。

尤其是可凸顯現代產業的交通與礦業館,漢冶萍鋼鐵廠、輪船招商局、天津啟新洋灰公司、開灤礦務局、廣東水泥廠等的加入及獲得的金獎,在在顯示出中國已領悟到現代產業發展所帶來的影響,特別是對於國力的提升。陳琪曾對這次參賽發出感

言：「新共和國將確立一個勇敢的工業政策及與世界通商的新時代」，其他代表們也一致表示中國這次勇於競賽，將在9個展場中與各國競爭（周芳美，2007：3）。因此，此次博覽會中國獲獎數量之多、特產種類之豐富、品質之優良、工藝之精湛、價格之低廉，都在當地引起了轟動，展品分布在美術、教育、文藝、工業、農業、食品、礦物、運通、園藝等9個展館中，甚至有當地媒體評為「東方最富之國」。

　　為了此次展覽，中國除了先行派遣35個北京工匠到中國政府館（Chinese Pavilion）的預定地內，精心構築紫禁城內太和殿和佛塔等具有中國傳統特色的縮小版建築物外，此次中國的花費大約等值於75萬美金，後來可能追加到1,250萬美金，是東方國家中花費最多的國家。雖然按中國的資料顯示，實際上只有24萬美元的參賽經費，大幅少於各國，積極參與的程度也是歷次所僅見；直到1916年開始，中國陷入連年動盪中，軍閥割據混戰到北伐一統、八年抗戰，中華民國政府再也無力全心參與這世界的盛會（周芳美，2007：3）。

　　值得關注的是，這一年的巴拿馬博覽會是中國對外貿易的一個重要轉捩點。當年度中國對美貿易額大幅提升，也讓更多中國實業家看到了通向世界的經商之路。

　　這次中國的參展，著實引起很大的矚目，除了媒體不斷刊載各種有關中國的參賽消息外，巴拿馬太平洋萬國博覽會為了表示對中國積極參賽的謝意，特定1915年9月23日為中國日，還請當時的駐美公使夏偕復到現場種樹刻石以資紀念。據中國資料的記載，中國是此次展覽中出品最多的國家，也是獲獎最多的國家，計1,211項（周芳美，2007：4）。

　　而這次首次陳列在美術宮的作品，也獲得很大的肯定。過

「一摔成名」的茅臺酒

去，中國相關展品大都是在政府陳列館或娛樂場中，這次則有400多件參賽品，很多都是精心蒐羅、製作的精品；譬如曾參加過1910年比利時布魯塞爾博覽會、1911年義大利都郎博覽會、1914年東京大正博覽會的沈敦和，爲了這次巴拿馬太平洋博覽會，他共準備了41幅仿古繪畫和仿古陶瓷200件，並特別印製有中英文說明的圖錄以供參觀者閱覽（周芳美，2007：6）。

值得一提的是，在這次的世博會上中國的白酒──茅臺「一摔成名」。當時，陳列的茅臺酒由於包裝粗糙，不甚起眼，根本沒有人注意到。沒想到，一個參展人員的不小心，將茅臺酒當場摔落地上，散出的酒香逼人，也就此打開了茅臺酒的知名度，不僅獲得金獎，更被評爲世界名酒。

閉幕之後

此外，這次博覽會中最吸引人的建築莫過於是爲了紀念舊金山大地震，由著名建築師梅貝克（Bernard R. Maybeck）所設計，以羅馬廢墟

以羅馬廢墟為雛型而打造出的美術博物館

為雛型而打造出的圓形建築物。而且，一反過去展期結束即拆除的慣例，舊金山政府決定保留，同時，並作為美術博物館。1964年再依原型重建為永久安全建物，現改為探索博物館（Exploratorium）（周芳美，2007：4）。

　　至於館中所陳列的展品，也一改過去直接標示價格出售的慣例，亦與製造宮或工業宮內標出價格的方式不同，喜歡的人或是有意購買的人，需和在場的部門銷售經理或助理接洽詢問。這麼做的用意，是想要凸顯每件藝術作品，均有獨一無二的價值，而不應該是用直接公開的標示價格高低來決定優劣。

　　這次世博會除了紀念巴拿馬運河的通航，以及象徵從舊金山大地震後重新出發後的蛻變，展期中，各項精心設計的多樣展品及內容，也讓這次的巴拿馬世博會獲得眾多好評。其中，展館中

飛行家Art Smith在航空區展示他的飛機

陳列的福特公司真實的汽車生產線模樣，每10分鐘即有一輛汽車下線，不僅大大滿足了所有人的好奇心及求知慾，整個展期中，整條生產線所生產的4,400輛汽車，不僅標示著機械化時代的來臨，更象徵全球汽車時代的到來，深具時代意義。

郵票顯示福特於1915年推出的T行車

1925年國際裝飾藝術及現代工藝巴黎博覽會
International Exposition of Modern Industrial and Decorative Arts

焦點——
柯比意的新建築五原則

提到這一年的博覽會，就不能不提到瑞士裔的法國建築師柯比意（Le Corbusier, 1887-1965），他是對當代生活影響最大的

建築師，也是二十世紀文藝復興式的巨人，建築史上留有他赫赫有名的身影，當年爲世博會所建的「新精神館」，一如倫敦時的水晶宮備受矚目。更重要的是，他以功能爲取向、適合一般人民居住，獨具創意的「柱版系統」（Dom-Ino System，多米諾系統）開創建築史先河，是眞正對全世界住宅模式產生深遠影響的人。

柯比意是建築師、設計師、城市規劃師及作家

　　「新精神館」沒有設計繁複浮誇的裝飾，簡潔清新的風格，完美地詮釋了柯比意所提出著名的「新建築五原則」理論，包括底層架空、屋頂花園、自由平面、橫向長窗、自由立面。他以爲房屋是「住人的機器」，是街道和城市的「零件」，因此他所設計的住宅，採用的是框架結構、牆體不再承重，迥異於一般傳統的住宅建築。而這一年也屬於專業性的博覽會，是爲「國際裝飾藝術及現代工業博覽會」。

閉幕之後

　　到這一年巴黎已舉辦了6屆的世博會。1928年，根據外交公約，法國主動發起設立國際展覽局（BIE），從此，巴黎更與世博會結下不解之緣，國際展覽局就此決定將總部設在巴黎。1928年11月22日，來自於31個

郵票說明了1925年巴黎世博的性質——國際裝飾藝術及現代工業

胡佛像

柯立芝像

國家的代表簽訂了《國際展覽公約》，世博會進入更加有組織的運作階段；目前，國際展覽局的成員國已達90餘個。

1926年費城美國建國150週年世博會（吳敏，2010）
Sesqui-Centennial International Exposition

源起——美國獨立150週年紀念

　　為慶祝美國獨立150週年紀念，早在1916年費城市長摩爾（J. Hampton Moore）即提出應在1926年舉辦特殊的慶祝。1921年12月，當時被視為共和黨未來總統參選人的胡佛（Herbert Clark Hoover）在賓夕法尼亞州的一次政府晚宴上，又進一步發表了舉行費城世博會，以紀念美國獨立150週年的演講。這次，成為費城再次舉辦世博會的重要契機，隨後，並得到當時美國總統哈定（Warren Gamaliel Harding）的贊同，以及繼任總統柯立芝（Calvin Coolidge）的大力支持。

　　1925年3月，柯立芝總統向全世界

發出邀請，並定調爲「展示美國和其他國家在藝術、科學、工業和商貿方面的進步，以及人類關於空氣、土壤、礦物、森林和海洋的產品開發」，是爲這次世博會的舉辦目標。

過程——開幕之後才完工

在籌措資金方面非常順利。根據以前的經驗，有來自於聯邦政府100萬美元的撥款，賓州政府和費城政府966萬美元的挹注，以及公衆捐贈的295萬美元，共計三方，約1,361萬美元的舉辦經費。但以現在的眼光來看，從1925年3月到隔年5月31日正式開幕，在準備時間上還是過於倉促。譬如開幕當天，雖有5.5萬人購票參觀，但另有近2.7萬人，是因爲要完成展場中還未完成的工作而免票入場。所有工程是直到開幕的兩個多月後，才全部完工。

另一個波折是，美術館本由曾策劃過數個重要博覽會的John E. D. Trask負責，無奈他卻突然於1926年4月驟逝，使得整個策展工作頓時陷入混亂。由於費城博覽會的波折頗多和營運失利，致使相關資料零散，過去即使是美國學者也未對此博覽會有深刻的研究（周芳美，2011：4）。

焦點1——展示美國硬實力與軟實力

這次美國建造了5個主要展館，包括：(1)自由藝術和製造館，這裡全部都是來自於美國各行各業的標竿企業，在此展示最新技術和產品，譬如電影；(2)農業及外國展示館，主要是各參展國設立的官方展區，還有些許的美國公司和外國著名公司；(3)美國政府和機械運輸館，主要爲美國政府展，也有部分美國

自由鐘是本次世博會的標誌

公司；(4)教育和社會經濟館，包括美國和其他參展國的教育情況；(5)美術館，來自各參展國的油畫、雕塑、水粉畫、攝影作品等。其中，最受歡迎也是這次世博會的標誌——自由鐘，不僅大量出現在明信片、海報等紀念品上，許多人也爭相和自由鐘合影留念。

綜觀這次的展覽，主要還是美國想藉此向全世界展示它的國力，因此，大部分的展品也都是來自於美國。譬如，此次極具人氣的國會圖書館，利用豐富的歷史館藏，透過一張張圖片，讓參觀者有如身臨其境般看到美國的獨立過程，再加上大量歷史文件的複製件，在在吸引了人們的注意，尤其是備受人矚目的《獨立宣言》和《美國憲法》複製件展出。

　　或者像是以簡單為上的美術
館，只在入口處的上方有薩巴提
尼（Raphael Sabatini）設計的浮
雕。在整個展場共計68,000平方
英尺，劃分為48個畫廊的區域
中，展場的燈光罩上一層包乾酪
的紗布，以防止藝術品被日夜過
度的曝曬。精心的策劃與設計，
深受各地來訪的博物館職員和
館長們的稱許。而展場中的藝術
品，概分為繪畫、雕塑、水彩、
微型畫和圖案等五部分，當然還
是以美國當時的名家作品為主
（周芳美，2011：4-5）。

　　博覽會為十九世紀末與二十
世紀初相當重要之文化據點，不
但使社會大眾熟悉科技、政治
與文化層面的現代理念，亦有
助於美國文學之現代化，更重要
的是，對於意欲了解美國文化發
展面貌之眾有所裨益（墨樵，
2000：1）。譬如，現在十分興盛
的寵物展，在費城世博會上即大
出風頭。這在過去，日常溫飽才
是生活大事的時代裡，尤其是傳
統的東方社會，根本是無法想像
的事。

獨立宣言

美國憲法

美國狗會認證的標誌：斯塔福郡梗

9月中旬美國和加拿大農場主帶來了將近三千頭的牛、羊、豬、馬，在世博會期間舉行了畜品種展；9月底美國狗會（American Kennel Club, AKC）亦隆重揭開第一屆狗展，來自美國、加拿大、英國、德國的兩千多條名犬，總價值超過100萬美元，知名評狗師的分類評比，名犬的各展風姿，在在讓這一屆的狗展充滿了精彩可期的內容，也吸引了許多人特地到場觀看。另外，還有家禽展、寵物展和鴿展，每一個都聚集了大量的參觀人潮。

這屆世博會吸睛的還有為了舉辦體育活動所興建，可容納10萬人以上，以現在眼光來看，還是十分先進的費城體育館：充足的照明設備，不管何時打開水龍頭，都有暖呼呼的熱水，還有規劃完善的更衣室等等，讓這一年在這裡舉辦的多項體育比賽，包括棒球、足球、高爾夫、手球、自行車、摩托艇、游泳、網球、划船、馬拉松，和其他各項田徑

比賽等等，都顯得更加精彩而熱鬧。

　　這些來自世界各地的運動好手，除了很多都是1924年奧運會的獎牌得主外，當時傑克・登普西（Jack Dempsey）和吉恩・滕尼（Gene Tunney）在拳臺上的相互較勁，不僅創造出170萬美元的拳擊票房最高紀錄，至今仍是拳擊史上最為人所津津樂道的偉大賽事之一。

　　此外，這次世博會特別設立的33個國家日（美國除外）、38個州日（美國各州）、33個城市日和18個民俗及社會節日，每一個都呈現出與眾不同的樂趣與表演，譬如英國日的軍隊儀仗表演。而專門娛樂區（Gladway）也深受歡迎，展品銷售、咖啡屋、玩具店等，置身其中，可親身體驗美國內戰的著名戰役，或是感受中國人的日常生活點滴，品味阿拉伯的民族藝術表演，等等。

閉幕之後

　　這次世博會，從5月底到11月底，總共吸引約2,000萬的參觀人次，並自8月中旬開放汽車進入，共有21萬車次光顧。

你知道嗎？

此時，中國正面臨內憂外患、戰爭的侵擾，讓參展經費短缺，籌備過程很困難。起初，是由蘇、浙、皖、閩、贛五省決定率先組團參加，並公告徵求展品，同時要求政府出資。

最後，再由孫傳芳頒發參賽出品章程，委任馮少山等五人為管理處名譽幹事。另方面，外交部卻又指派駐紐約領事張祥麟為出席費城展覽會總代表，成為另一個參展單位，並以官方名義參與在美國舉行的萬國博覽會（墨樵，2000：2）。由於經費不足，中國政府未能籌建自己的政府館，只能將展品分散在農業及外國展示館與教育館。

歷經國內政治的動盪，外國的侵擾，中國已無力投入參展中，到最後，1933年的芝加哥世博會是由全國總商會出面協調組織，最後由外國人督建承德（熱河）小布達拉宮寺廟；1937年的巴黎世博會上，也僅有中國翠玉寶塔吸引眾人的注視，令人欷歔！

1933年芝加哥世博會　進步的世紀

A Century of Progress, International Exposition, 1933-34

源起——二十世紀初就躍躍欲試

　　芝加哥想辦世博會已非一朝一夕之間的事。從二十世紀初就不斷被提起，直到1927年湯姆森（William H. Thompson）接任芝城市長，1928年成立博覽會委員會，世博會的舉辦才真正上了軌道。不過，正當萬事具備只欠東風之際，1929年底的經濟大蕭

大蕭條時期失業的人，排隊領取免費的咖啡和甜甜圈

條卻帶來了噩耗。

　　1929年10月28日這天，對美國或世界來說都是「黑色星期一」。金融失序的結果，先是造成美國股指暴跌13%，接著就是一連串的經濟危機，而道瓊指數一瀉千里還只是序幕，長達十年的經濟大蕭條時代（Great Depression）重創了整個世界。直到今天，1929到1941年的經濟大蕭條，依然是二十世紀持續時間最長、影響最廣、強度最大的經濟大衰退。

過程 —— 危機即是轉機

　　首先，資金的籌措就出現了很大的問題。政府雖然允諾會提供一部分資金，但資金缺口依然龐大，怎麼辦呢？這時，就不得不佩服商業頭腦靈活的美國人了。透過世博會組委會發行的債券，同時與食品、運輸、娛樂等行業的15家供應商簽訂了贊助協議，解決了大部分的資金問題。再加上早在1928年4月起，發起的「博覽會會員招募」活動，人民可用5英鎊購買一個博覽會會員的身分，並享有免費進入會場的十次機會，六十多萬英鎊的建設資金順利到手。

　　有了資金，還要有吸引人的主題。籌劃階段，以芝加哥在百年世紀中的科學進步與工業發展為主題的說法，就是許多人津津樂道的話題。

焦點 —— 全部參展圍繞同一主題

　　過去籌辦的世博會，參展的展品也不是都沒有主題，但都是局部的，散在各個展覽館或是參展國，或是按照學科範疇或起源來劃分，如機械、農業、藝術等。總之，那時主題的作用只是象

徵性的，透過展覽展示個別國家
的工業成就和國力。而1933年的
世博會是第一屆有明確主題的世
博會——「一個世紀的進步」。

　　會訂出「一個世紀的進步」
的主題，其實和一個少有人知
道的組織有著密切的關係。成
立於1916年的國家研究委員會
（National Research Council），從
創立的那一刻起，即清楚揭示其
促進科學、工業與軍事領域合作
的成立宗旨。其所領導的科學諮
詢委員會在那一屆世博會中明確
提出，以科學進步為主線，配合
科學運用於工業領域的種種發展
為形式的展出主題，最後，不僅
被接納，甚至還進一步向當時的
企業界大開方便之門，包括通用
汽車、克萊斯勒、西爾斯百貨等
紛紛獲准建造各自的展館。

　　這屆世博會分為註冊類和認
可類兩種，在圍繞著「一個世紀
的進步」主題下，所有參展者以
共同的題目來設計和創作自己的
展品。

「一個世紀的進步」紀念郵票

1935年布魯塞爾世博會　透過競爭，獲取和平
Exposition universelle de Bruxelles, 1935

源起——對和平的渴望

　　提到這屆的世博會，就不能忽視這個時代中，戰爭對歐洲的影響。尤其是第一次世界大戰簽訂《凡爾賽條約》後，歐洲各國莫不企望和平的來臨，只是當時德國納粹始終虎視眈眈。還沒有從第一次世界大戰中完全恢復，也沒有因此改弦易轍，德國即在1925年開始積極整頓軍備，1935年撕毀《凡爾賽條約》，進而全面擴充軍備。歐洲各國明知希望渺茫，還是力圖透過這一屆的世博會中找到一絲和平的「願景」。

1935年布魯塞爾世博展館

　　「透過競爭獲取和平」是這屆的主題，不僅適時地反映出當時人們心中的渴望，也在某種程度上表達出這個時代的需求。只是德國藐視原先簽訂的合約，再加上亞洲日本對中國發動的戰爭，原本藉由經濟、技術、藝術的展示，讓各國在相互交流的過程中，締造未來和平的美好憧憬，在這時，似乎都成了一種諷刺。

焦點──大面積櫥窗展示出現

　　這場綜合類的世博會共吸引2,000萬的參觀人潮，主要展品分爲科學儀器與藝術作品、能源、民用工程、公共建築、服裝與配飾、旅遊與體育等幾大類，其中，大都具有實用價值。在擺放的空間位置上，也是有條不紊，而且，透過舞臺的呈現、顏色等的區隔，巧妙的設計讓人有眼睛一亮的感覺。

　　讓人驚豔的，在服裝與配飾部分，出現的大面積櫥窗展示。活潑多樣的呈現，一改過去制式化的展示，頗有現代流行文化的氛圍。另外，在藝術展示部分，古典雖爲主要的呈現概念，但一場集合了從 1400 到 1900 年橫跨五個世紀的藝術大展，卻深深吸引許多人的目光，在當時亦成爲熱門話題之一（海晗，2010）。

閉幕之後

　　不論如何，這屆展覽還是爲人類創造出不少美好的回憶。譬如過去世博會的建築，目的只是展示片刻的輝煌與經典，很多時候都是「用完即拆」、「用完即丟」。這次，因爲對和平的希

望，刻意營造出一種濃濃的懷舊氣息，設計概念仍以古典藝術設計爲主外，不少展館還是可以「永久」使用的，再加上新的遊樂公園、人工湖，以及可容納近8萬人的露天體育場，活潑而歡樂的氣氛，就是希望能一掃戰爭所可能帶來的陰影。

1937年巴黎藝術世博會　和平與進步
International Exposition of Arts and Technics in modern life

過程──促成旅遊產業的崛起

　　這一年第二次世界大戰開始，全球籠罩在戰爭的陰影下，即使如此，巴黎也傾全力在艾菲爾鐵塔對面的特羅卡德羅廣場（Place du Trocadéro）興建了一座宏偉美麗的夏佑宮（Palais de Chaillot），可惜卻沒有如艾菲爾鐵塔般引起世人的讚嘆。大家只能在各國的展館間穿梭，觀賞屬於在地國家的驕傲，或是到電影館裡一睹電影製作加工的過程，走進印刷館裡看看曾經造就人類歷史的點滴。觀看此屆博覽會內容與世界氛圍連結的訊息。

　　正所謂有得必有失，爲了吸引大家的注意，各國紛紛發揮各自的優勢，極盡全力介紹屬於自己國家的地理資源與人文特色，法國更是因此建造了一座獨立的旅遊館，展示法國美麗的一面；甚至，法國各省也紛紛開設地方展館，向外宣揚在地特色與風光。因此，這屆的世博會除了現代藝術及技術展示外，首次出現了「主辦國地方館」的項目，而這樣的方式也爲隨後主辦國所援用，旅遊產業也開始慢慢步上軌道，而愈加蓬勃發展。

建在小丘上的夏佑宮

焦點——各展所長

　　譬如，中國展出的翠玉寶塔贏得世人熱烈注意，而各國亦分別展示所長：荷蘭郵政事業的發展、瑞典的新型農產品、瑞士獨一無二的煉乳技術等等，法國則充分發揮藝術文化方面的特長，展出包括華鐸《傑爾桑店鋪招牌》、夏爾丹《封信的婦女》等名作，亦引起很大的轟動。

　　另方面，這次的主題展館是科學發現，其中的歷史發明館可以看到歷史中的許多「第一」，如最古老的蒸汽機、世界第一批電視機、第一個展示血液流動和人體主要器官工作情況的玻璃人體模型、第一輛自行車等，以引起大眾的興趣及目光。

　　這次的世博會面臨的環境嚴峻，由於戰爭、經濟蕭條，帶來人民生活困窘、失業等問題，巴黎企圖藉由這次的盛會「力挽狂

世博會展出的名作之一。這是華鐸幫朋友書店畫的招牌，也是他最後、最大的作品（182×307公分）

瀾」。其中，最引人注目的是，為了幫助藝術家，巴黎特別聘請
了兩千多名藝術家、繪製七百多幅壁畫，以充實各展館，成為這
次世博會上最溫暖人心的話題。

1939年紐約世博會　建設明天的世界
New York World's Fair, 1939-1940

過程——籠罩在戰爭的陰影中

1939年的紐約世博會自始至終都籠罩在戰爭的陰影中。即
使4月30日開幕當天，羅斯福總統在向60萬人發表慷慨激昂的
演說中，帶給不少人希望，但很快地，就被第二次世界大戰所
淹沒。

本屆主題是「建設明天的世界」，最令人感到興奮的就是
開幕式當天下午，在紐約市弗拉辛廣場中所陳列的電視機。雖
然早在1884年俄裔德國科學家尼普可夫（Paul Julius Gottlieb
Nipkow）就申請了世界上第一個機械式電視系統的專利，1939
年，英國也已有約2萬個家庭擁有電視機。但當時許多人對於一
個「方盒子」內會出現影像的科技，還是感到很陌生。開幕式上
美國國家廣播公司用這套神奇的設備，對開幕式進行了實況轉
播，很多人第一次從電視機上同步看到現場所進行的一切時，莫
不感到十分驚奇。

焦點──未來的象徵

郵票上的「未來的象徵」

　　整體而言，在這第20屆的世界博覽會中，規模龐大而空前。在「建設明天的世界」的主題裡，有64個國家參展，展示了尼龍、錄音機、塑膠、磁帶、電視機等先進的設備和產品。許多現代化的城市生活和科技發明，都從虛擬的夢想走向現實的社會，譬如空調機、機器人等。而主展覽區的著名地標，則是高達215公尺的兩座建築物，透過橋和螺旋電動扶梯的連接組合成一個整體，被譽為「未來的象徵」。

　　此外，通用汽車建造的「未來夢想」展館，也是其中最引人矚目的展館之一。一派新穎的建築和設計，譬如新式機場，以及透過四通八達高速公路所建構的立體交通網、拔地而起的摩天大樓，都在此次展覽中盡皆呈現，令人感到「未來世界」的美好。值得一提的是，愛因斯坦也應邀來到此次世博會，並以科學為主題進行了演講。

西屋時間膠囊。1939年紐約世博時封存，預計6939年開放。裡面有微縮膠片、新聞彙編、種子、織物

閉幕之後

　　二次世界大戰不僅影響了全球，對於世博會也產生了重要的巨變。這一年舉辦過世博會後，一直到1958年，將近20年後人類才像是恢復了元氣，有了希望，比利時再次在世人的注目下，將世博會推上國際舞臺。

1958年布魯塞爾世博會
科學主導的文明與人道主義
Exposition Universelle et Internationale
de Bruxelles Wereldtentoonstelling
Brussel, 1958, Expo'58

郵票上黃色的圖案即為
布魯塞爾世博會會徽

源起——二戰後世界文化的再次交流

　　1951年比利時國王博杜安（Baudoin）
宣布即將在1958年舉辦世博會，並以「科
學主導的文明與人道主義」（Science-
Oriented Civilization and Humanism）為主
題，這是二次世界大戰結束後的首屆世博
會，意義非凡。不只國際展覽局感到十分
高興，這次由《國際展覽公約》締約國首
次共同確定舉辦的綜合類世博會，更是很
多人的期待。

　　身為比利時首都的布魯塞爾，與荷
蘭、德國、盧森堡、法國等接壤，不管在
地理位置上或是文化上，都代表著歐洲各
國的匯集處，直到現在，包括歐盟、北大
西洋公約組織等眾多國際機構，也都設在
此處，正說明了布魯塞爾在歷史中所占的
重要位置。

　　世博會的舉辦，透過會徽猶如星星
般的設計，中央象徵的是布魯塞爾市政大

廳，五條發射線則是五大洲，還有上面地球造型的呈現看來，讓人真切感受到世博會所代表的意義，不再只是侷限於某個區域或國家，而是全世界在經濟、文化、科技上的融合與交流。一切的建築設計、展覽內容，亦是圍繞在崇尚科學、倡導文明、注重人性的主題上。

過程 —— 眾所矚目

這次的世博會，無疑地是眾所矚目的。1958年4月17日開幕，同年10月19日閉幕，期間共有54個國家和國際組織參加，包括聯合國、歐洲共同體、歐洲煤炭和鋼鐵聯合會等。參觀人次達到4,000多萬，總投資金額高達25億比利時法郎。場址位於布魯塞爾城外7公里處的海色爾公園，占地面積200公頃，展區劃分為主辦國、比屬剛果、各參展國及國際組織等四部分。

場地內約200座不同建築，井然有序的街道、廣場、餐館、劇院等，其間妝點著美麗的池塘與花園。為了方便參觀，還設計有高架纜車、快速機動車等交通工具，喜歡散步的人，還可以從高15公尺的天橋，向下俯瞰大多數的展館及園區景色。

焦點1 —— 匠心獨具的原子球

在所有的設計和呈現中，最引人注目的莫過於由9個直徑達18公尺的鋁質大圓球組成的「原子塔」（Atomium Pavilion）建築。

對人類來說，1750年的工業革命，象徵著產業的大躍進，是進入現代化世紀的重要門檻。而1957年10月蘇聯將「史普尼克」（Sputnik）號衛星送入太空，這是人類成功發射的第一枚

「原子球」正體現了這個時代的主流意識

人造衛星，亦是人類的發展又往前跨越了一大步的最佳印證。
1958年緊接著舉辦的世博會，沃特金（André Waterkeyn）設計
了宛如放大一億六千萬倍的9個原子構成的建築物，這在某種程
度上，像是完美地詮釋了此時人類的科技進展；特別是當世上所
有物質均是由分子、原子、中子所構成，二次大戰由一顆原子彈
所終結時，一座以原子所設計出來的建築，正體現了這個時代的
主流意識。

　　在另一層意義上，比利時是歐洲共同體的發起國之一，布魯
塞爾被稱爲「西歐的首都」。歐洲共同體共擁有9個成員國，比
利時國內也劃分爲9個省。9個由空心鋼管連接成的建築體，總
重量爲2,200噸，最高球頂達102公尺，更彰顯了比利時和西歐各
國團結、聯合的意義。蘊含著多種意義的原子球，匠心獨具的呈

現，從一開始即獲得好評。

　　原子球中間還有一部歐洲最高速的電梯，20秒初就可將人迅速送到近100公尺的頂層，透過四周幾乎是360度無死角的觀景窗欣賞周遭的景致，俯瞰布魯塞爾。也可改乘自動梯到其他圓球參觀，不管是原子球塔內的餐廳、禮品店，或是特別展出的國際核能技術，包括核反應爐模型以及核動力船的模型展示等，琳瑯滿目，最具人氣。

焦點2 —— 冰淇淋旋風

　　值得一提的是企業館中的飛利浦公司。這是由著名建築師柯比意（Le Corbusier）所設計，外形猶如帳篷覆蓋在地面上的特殊建築結構外，300個揚聲器產生的立體音樂，再結合電影的呈現，來自於聽覺、視覺上的感官極致體驗，為日後的多螢幕電影、幻燈片技術和多媒體技術提供了早期的雛形範本。

　　有趣的是現在幾乎人人都品嚐過的蛋捲冰淇淋，可是那時世博會中最熱門的焦點之一。當來自美國的冰淇淋，在夏天人擠人的園區裡露面時，從沒看過、更沒嚐過的歐洲人，才剛入口就被那香醇濃郁的香氣所吸引，更別說正值炎夏能大口吃冰的快樂。自此，歐洲就像陷入冰淇淋的魔力旋風中，一發不可自拔。

閉幕之後

　　世博會後大部分的建築都被拆除，場地也進行調整，可是經典建築原子球不僅被保留下，還成為今日許多到布魯塞爾的遊客特地指定參觀的重要景點。透過這一次的世博會，布魯塞爾亦大幅提升了它的國際地位，至今仍是眾多國際組織及重要會議的舉辦地點。

1962年西雅圖21世紀世博會　太空時代的人類
Century 21 Exposition
Seattle World's Fair

過程——
揭示太空時代的來臨

　　這屆世博會的主題是「太空時代的人類」。因此而興建的太空針塔（Space Needle）184公尺、約60層樓高，不僅在外形上極其搶眼，猶如一具被架在高空上的不明飛行物，可抵禦時速高達320公里的強風和9.1級的強烈地震，展現高度建築技巧，也讓這座造型特異的塔幾乎和西雅圖畫上了等號。

　　事實上，從1958年7月美國總統艾森豪簽署了《美國公共法案85-568》，成立國家航空暨太空總署（NASA）後，美國即充滿了對太空的嚮往。後來，美國太空總署在德克薩斯州休斯頓興建知名的詹森太

位於西雅圖中心的太空針塔

空中心（Johnson Space Center），從事包括太空梭的研究建造、訓練太空人等眾多關於探索外太空的計畫，每一次都成為舉世知名的大事，當然，也讓這屆「太空時代的人類」格外引人。

焦點——夢想成真的未來旅程

除了最具人氣的太空針塔外，此次向外界展示人類藉助宇宙飛船，進行環繞地球飛行的太空壯舉，並預言下一個世紀人類勢必將向火星邁進，實現征服外太空的意向，也讓這次的世博會充滿了話題性。特別是被稱為「太空之針」的會徽圖樣，內置地球圖形與「二十一世紀」的字樣，充滿超現實風格，由此而發展出來的眾多商品、小禮物，更創造了龐大的商機，帶來了豐厚的利潤，甚至受到當時大會郵政局的重用，並加以推廣。

在眾人的期待中，遠在佛羅里達度假的甘迺迪總統（John F. Kennedy）按下鍵，時空的距離頓時縮短，迅速連接到位在西雅圖的會場，正式揭開了世博會的序幕。歌唱聲、歡樂聲齊放，尤其是有三百多年歷史的瑞典古戰艦上鳴放

會徽：二十一世紀的展覽

的隆隆禮炮聲，以及太空針塔上500多個音樂鐘一起熱鬧登場，再加上四周懸浮著數千個彩色氣球的妝點，一場改變人類腳步的世博會，從地球帶上外太空的夢想旅程，就此陸續展開。

　　科學的世界中，最吸引人的是波音公司的太空館，一次安排750位觀眾體驗10分鐘的虛擬遨遊銀河系的旅程，任誰都看得目不轉睛。在華盛頓國家體育館內，展示明天的世界，可容納一百多人的巨型玻璃球體在蜂巢型管道中穿行，帶領人們參觀未來的世界，包括自動清潔的盤子、自動窗、可變換顏色的桌布，每一樣都引來讚嘆。而最大的主題展區——商業和工業的世界，從加拿大、印度、日本、瑞典、法國及阿拉伯等國家，到像是IBM、通用電氣及福特公司等大型企業也都參與這場盛會。

　　藝術的世界中，來自全球61個著名博物館出借的藝術品，譬如米開朗基羅、提香等著名藝術家的作品，以及東方古代藝術品，每一樣都引人入勝。娛樂的世界裡，則是展示了各種娛樂方式，芭蕾、拳擊、爵士樂、戲劇等。

　　即使是為了配合博覽會而興建的單軌列車，每天從市區的西湖中心一直到太空針的路線，車上也總是擠滿了人；2.4公里的距離

郵票顯示的即是單軌電車到會場的景象

單程只耗費95秒，成人票50美分、兒童票35美分，很多人對此可是躍躍欲試。

閉幕之後

這次展覽無疑地激發了人類對於未來更多的創意及想像，譬如將來的城市上空懸浮有巨型屋頂，人類可以任意控制和調節城市天氣；將來的教室漂浮在空中，並可隨著太陽移動，光線始終都會照在學生的書本上；若干年後，每一個人都有可能登上月球，幾分鐘之內環繞地球等等。不管是已經實現的，或是還沒應驗的，這次世博會帶給了人類對未來美好的憧憬。

2000年完成太空針塔的重建計畫，又加強了包括商品零售店、餐廳及觀景臺的內容。太空針塔的後方則是太平洋科學中心，有許多可實地動手操作的科學遊戲，還有精彩的I-MAX電影。

1964年紐約世博會　透過理解，走向和平
New York World's Fair 1964/1965

源起──紐約建城300週年

為了紀念紐約建城300週年，1964年紐約再度舉辦了世博會，並和1939年的紐約世博會一樣，選在法拉盛草原可樂娜公園（Flushing Meadows–Corona Park）。建立於1939年的可樂娜公園，早期只是一片荒蕪之地，甚至是到處堆滿了垃圾，如今，

在占地1,255英畝的面積中，
擁有兩大國際級體育館謝亞球
場（Shea Stadium）與國家網
球中心（USTA National Tennis
Center），第一屆聯合國大會也
是在此召開，這些也能說是兩次
世博會所帶來的「功勞」吧。

愛爾蘭館

過程——
商業氣息濃厚讓人卻步

　　這次世博會因為經費上的
極度短缺，造成長達整年的會
期，一心想要獲利回本，不僅讓
人失去了新鮮感，濃厚的商業氣
息更是讓人卻步，失去了參觀的
慾望。為什麼經費會短缺呢？很
大一部分是會址同樣選在可樂娜
公園，本來想結合1939年博覽
會的部分舊址，進而將所在地的
皇后區規劃成當地最大的休閒
場所。無奈，因為上一屆也出現
虧損，原先會址早已荒廢；為了
籌措經費，這次的主辦單位不惜
違反國際展覽局的規定，對參展
國家和地區以及私人企業收取租

Rooket Thrower是為本次世博設計的雕
塑，象徵人與太空的關係

金，最後導致這屆世博會沒有得到正式的批准，歐洲大部分國家也沒有參加。

考慮到只有36個國家和地區參展的情況下，最後組委會不得不邀請美國的21個州參展，許多美國大型企業也紛紛出資興建自己的展館，使得展館總數達到140個，包括200座建築物，成為世界歷史上規模最大的博覽會。即使如此，這次參觀者也達到了5,000萬人次，創下新紀錄；複合螢幕、電腦科技、傳真機、座椅連動式的影像娛樂等諸多創新，以及展出的半地下公寓模型，充滿了冬暖夏涼、遮罩噪聲、防火抗震、節省建材等許多優點，依然抵不過這次世博會引起的非議，乃至於入不敷出的窘境。

焦點——大地球儀

可樂娜公園中最吸睛的是一個高140英尺的不銹鋼大地球儀（Unisphere），是這屆世博會專門建造的，同時也是美國向世人展示自己已進入太空新紀元的標誌。當時世界安全和太空探索都是熱門話題，其會徽就是一個地圖，上面分布著世界各國的位置外，四周還環繞著象徵最新通訊與運輸技術的曲線，說明科技促進各國的交流，也縮短了世界的距離。在某種程度的意義上，真實地呈現這次世博會主題「透過理解走向和平」的真諦。

這屆世博會專門建造的大地球儀

1967年蒙特婁世博會　人類與世界

Universal and International Exhibition Montreal,
Expo '67

源起──世界經濟重鎮轉向了北美

　　從世博會的舉辦似乎可以窺見世界經濟重鎮、現代化都市的演變過程，從工業革命後的英國、法國到美國，二十世紀中期，擁有豐沛的天然資源的加拿大崛起，已成勢不可當的浪潮。

　　相較於當時全球約有3到5億人口處於食物缺乏或營養不良的狀態，1967年時的加拿大，經濟實力快速增長，糧食等農產品生

產豐盛；加拿大對外提供糧食大量援助，讓它漸漸成為國際矚目的大國。而這時的蒙特婁，雖然先天環境佳，地處連接五大湖及大西洋的聖勞倫斯河河口，是加拿大東部最重要的海運中樞，也是世界上最大的內陸港。但從世界的眼光來看，蒙特婁終究還只是一個區域性的大城市。

1967年的世博會原先是設定由蘇聯的莫斯科舉辦，結果莫斯科放棄主辦權，改由加拿大接手。加國政府起初考慮的也是多倫多，直到多倫多的政客反對，當時正在全力發展經濟的蒙特婁趁勢而起，並經由這次主辦世博會的機會，一躍成為舉世聞名的國際大都市。陳其澎指出，在1967年蒙特婁所主辦的世界博覽會中，蒙特婁更是趁機促進了都市空間的建設，啟動都市發展的契機，無怪乎評論家指稱：「世界博覽會真正是超大都市發展計畫。」（陳其澎，2004：24-25）

過程──對世界、對自然環境所應肩負起的使命

二十世紀中期後，隨著全球民族主義運動的興起與英國國力的式微，大英帝國逐漸瓦解。這個階段，冷戰開始、天然資源過度開發，人類面對的環境日漸嚴苛，首次以「人類與世界」為主題的世博會因此受到萬眾矚目。在思考人是探險者、製造者，以及人與環境、人與健康等眾多議題之際，加拿大更因為不斷上升的國際影響力，自覺對世界、對自然環境應肩負起使命。

這點，充分顯示在這屆世博會所設計出的會徽。在圍繞成圈的圖形中，看似樹枝的圖樣，其實代表著人的雙手，掌心一致向內，包圍著中心的地球。會徽圖案蘊含著，只要是生活在地球上的人，大家不分種族、國界及語言，一起擁抱地球、一起呼吸，

共同沐浴在同樣燦爛的陽光底下，
享受美麗的大自然，感受一切美好
的事物。並提供三種不同色調，包
括藍白、紅白、黃白色等，供不同
場合、不同國家所選用。

郵票顯示蒙特婁世博會的會徽

　　在溫暖、祥和的氛圍中，全世
界人心手相連，守護住大家一起居
住的地球。無私的奉獻與努力，使
得這屆世博會可說是一百多年來最
為成功的一屆。從4月28日到10月
27日期間，總共有62個國家熱情參
與，總參觀人次則是超過5,000萬以
上，而1967年加拿大舉國人口也不
過才2,000萬左右，超強的吸引力、
廣泛的參與度，直教人驚嘆。

焦點 —— 建築設計上的創新

　　這屆的世博會，從美、蘇的展
出可清楚看到國際局勢的轉變，從
地面轉向太空的競賽開始白熱化，
在建築設計上也有了更大膽而創新
的發展。

　　柯比意（Le Corbusier）曾於
1926年針對住宅設計提出著名的
「新建築五原則」，大膽摒棄過去

集合公寓住宅「Habitat'67」

的建築思維；到了這屆世博會，加拿大建築師薩夫迪（Moshe Safdie）設計的集合公寓住宅「Habitat'67」不規則的方塊機體外型，更是出乎所有人的意料，讓他一舉成名。

簡單說，Habitat'67就是一座預鑄式混凝土的住屋集合體，由3個獨立的成套房間單位群集組成，並排列成類似沿著鋸齒形框架堆成的不規則方塊機體。薩夫迪的原始用意是希望能在擁擠的都市空間中，充分利用寶貴土地，以交錯的蜂窩結構小單元讓建築面積發揮到最大；而且使用預鑄組合的方式，希望能大量降低興建成本。可惜的是，最後還是沒有能達到他原本的想法，只是這突破性的創新建築已成當代經典並在建築史上留下佳話。

另一個備受矚目的是德國建築大師奧托（Frei Otto）所設計的德國館。以高強度的金屬索與高分子聚合材料做成的支撐膜結

構建築體，外型猶如帳棚的設計，當時受限於材料與技術上的限制，原本是無法設計出這類的建築體。直到高分子聚合材料，以及新的結構計算理論與方法的出現，薄膜可以做得更大且耐用。但將此應用在建築設計上，奧托不僅是第一個想到採用的，他設計出的德國館亦是首座出現的支撐膜結構建築體，結構簡潔、便於組裝與拆卸，以及造價低廉等特點，讓這類建築結構在日後蔚為風潮。

這屆世博會之所以稱得上是「空前」轟動，在於吸引了為數眾多的參觀者，而其中的輪舞遊樂場（La Ronde），更接待超過2,000多萬的遊客，近一半的世博會人潮都光顧了這個遊樂場。擁有最時尚、新穎娛樂設施的La Ronde遊樂場，世博會期間不僅有來自世界各地的著名馬戲團，還有自建的23個大型水族館及水

La Ronde是魁北克最大的遊樂場

鳥館，精彩多元的表演和雜技，讓人爭相蜂擁到此地參觀。

閉幕之後

最引人注目的美國館中的仿月球展出，透過一個高達一百多英尺的升降梯，載著參觀者掠過模擬的月球奇境探險，既引人遐思，又滿足人的好奇心。原以爲虛幻中的太空冒險，卻在1969年7月20日的「阿波羅」登月計畫實現了！

而到了2012年，加拿大已是世界第11大經濟體，也是經濟合作暨發展組織和八大工業國組織的成員國之一，經濟邁向高度發展。

1970年大阪世博會　人類的進步與和諧
Expo Osaka, 1970

1867年的巴黎世博會打開了日本通向世界的大門，因此「明治維新」後，日本又積極參與1873年的維也納世博會。這時的日本深知世博會是學習西方科學技術最好的殿堂，在派往維也納的日本代表團中，有一大部分都是工程師；他們專心研究各國的產業及技術，回國後特別撰寫了一份長達近百卷的報告（俞力，2010）。

曾率團參加過1893年芝加哥博覽會、1900年巴黎萬國博覽會和1905年聖路易博覽會的執行弘道（H. Shugio, 1853-1927），也曾被推舉爲國際評審團的委員，並編錄十九世紀末華府著名收藏家Thomas E. Waggaman所收藏的東方藝術品，還曾被派駐於紐約，參與過美國波士頓美術館浮世繪收藏品的鑑藏工作（周芳美，2007）。

源起——吸收西方新知，加強工業實力

　　即使日本在1915年參與美國舊金山巴拿馬太平洋博覽會過程，剛好遇到美國加州於1913年通過「外國人土地法」（日本又稱爲「排日土地法」），一時之間美日關係緊張；但籌備人士一致鼓吹此爲轉移美人仇日之良機，日本政府還是於1914年再度確認和啓動參賽的相關準備事宜，由此可見日本對世博會的重視（周芳美，2007）。更關鍵的是，對日本而言，從世博會吸收西方新的科學技術，並發展和加強國家的工業實力也非常重要。

　　起初在日本參加世博會時，主要展出的都是精緻的工藝創作，譬如日本的浮士繪藝術、茶葉等；費城博覽會官方報告書曾有這樣的讚美之詞：「日本展品之多樣化和美麗是無可言喻的。」（周芳美，2011：6）到了二十世紀，日本經濟蓬勃產業轉型，在極力發展工業之際又積極參與國際事務。1928年加入《國際展覽公約》成爲締約成員國之一，並計畫在1940年舉辦以慶祝日本帝國成立2,600年爲主題的世界博覽會。日本舉辦博覽會的目的在藉此宣揚殖民主義意識型態（陳其澎，2003：4），雖然1940年世博會因第二次世界大戰的爆發而流會，但身爲戰爭發起國之一的日本，卻以軍事戰備表現出多年來所蓄積的實力。

過程——世界文化的盛大節日

　　1965年，日本正式向國際展覽局申請舉辦1970年大阪世博會，隔年5月11日，國際展覽局全體成員代表大會通過，大阪——這座曾是日本中世紀時最大的城市，將成爲亞洲第一個舉辦的城市。1970年王儲明仁擔任萬國博覽會組委會名譽主席，組委會秘書長則是由首相鈴木出任，另成立總計畫委員會，包括建

太陽塔，像是沖天巨人，也　大阪世界博覽會之藝術館
像是一尊古老雕像

築師、城市規劃工程師、藝術家和其他領域的專家等共40人，並
由日本建築師丹下建三（Kenzo Tange）負責，共同規劃設計世
博會等相關場館的建設事宜，其總經費則由國家、府和大阪市政
當局共同出資。

最後將世博會定調為「世界文化的盛大節日」。日本先參觀
了曾舉辦過展覽的重要城市，譬如蒙特婁、紐約，希望藉由它們
的成功經驗，激發更多的靈感與創意。另一方面，更希望大阪世
博會能一舉跳脫過去辦理的方式，不只是慶典、國力的展示、創
新的發明，而是一種文化的呈現，要讓所有參與的人留下永恆、
感動的共同回憶。

透過這樣的理念，在日本組委會任命岡本太郎擔任主題場館
設計師，並為中心設施的節日廣場進行綜合設計時，像是沖天巨

人也像是一尊古老雕像的太陽塔
造型像誕生。太陽塔融合了許多
概念，在高舉的雙臂中，托起的
是節日廣場巨大的屋頂；塔上有
四大面具，分別寓意著世界的過
去、現在與未來；塔下則有「智
慧」、「祈禱」展館兩座，除了
各種來自世界各地的雕刻臉譜面
具外，神秘的氣氛亦讓人肅然。

焦點1──創新的建築素材

　　這次在建築設計上所呈現出
來的創作思維，給人類帶來無限
想像空間，激發創意。這次會址
選在大阪市郊約15公里處的千里
山丘陵地帶，約330萬平方公尺
的面積中，除了眾多世博會相關
設施外，有116座的不同展館建
築，每一個都各具特色。譬如法
國館像是大型的高爾夫球，日本
館則像是一組大鈴鼓，瑞士館是
一株巨大的水晶樹，澳洲館像是
一頭帶著乳酪和食品袋的恐龍，
菲律賓館則貌似大海蚌。不論如
何，都是在顯現主題的同時，又

法國館

澳洲館

充分展現創新的精神。

在建築素材的表現上，各國建築師也發揮了藝術的極致想像，突破既有的窠臼展現技術的創作，使得這次世博會的建築成為當代最引領潮流的展品。另外，在借鑑倫敦前衛建築團體阿基格拉姆（Archigram）的新未來主義幻想下，從展望未來城市的角度，廣泛運用鋼鐵、玻璃和新穎材料，讓一座座充滿現代化的建築，成為這屆世博會上最亮眼的標的物之一。

例如，日本的富士館與美國館也都同時使用了先進的充氣膜結構，樹脂玻璃纖維膜鼓脹起來後，靠懸索支撐，這種結構的建築特別適合地震多的地區。最大的展區日本國家館，直接將世博會會徽圖形建築化，由5個直徑為58公尺、高28公尺的鼓狀結構建築物組成，並圍繞一個80公尺高的花蕊塔柱，造型設計源自於日本國花——櫻花，非常吸睛。其中的展示除了日本人的生活方式及文化外，還有排水量達30萬噸的油船、放大50萬倍的射電望遠鏡、抗震摩天大樓結構實物模型及速度可達到每小時500公里的磁浮列車模型。

焦點2——阿姆斯壯的腳印

這次展品中，美國館中的月亮隕石，及太空船展廳內陳列的「阿波羅號」，尤其是阿姆斯壯踏在月亮上的腳印巨幅圖片，似乎讓在場所有目睹的人，也能親身感受到那一瞬間，人類歷史上最偉大的時刻：1969年7月16日，美國人阿姆斯壯（Neil. A. Armstrong）升空，經過102小時39分40秒的飛行，登陸月球踏出人類史上的一大步！

閉幕之後

　　完整的規劃與設計，讓這次主題為「人類的進步與和諧」的世博會獲得前所未有的成功，有75個國家參與，參觀人次達到6,000多萬，為世博會史上觀眾人數最多的一屆（呂紹理，2005：28）。當時，有半數以上的日本人都曾到此參觀，1,500億日圓的投資不僅很快回收，而且獲利頗豐。更重要的是，日本藉由大阪世博會進一步打開了國門，在二次世界大戰後，為重新融入國際社會做出極大的努力，也為世博會的發展做出貢獻。

　　會後大部分的建築都被拆除，僅有日本館、鋼鐵工業展館和日本民藝館作為永久的建築設施而保留下來，而當時備受矚目的太陽塔，最後則成為國家特定的紀念文物。

1974年斯波坎世博會　無污染的進步
International Exposition on the Environment, Spokane 1974

　　提起這個位於華盛頓州東部的小城市斯波坎（Spokane），許多人可能都很陌生，而這裡卻是1974年世博會的舉辦地。斯波坎可算是世博會歷史上最小的舉辦城市，當時人口只有十幾萬，在舉辦世博會的主場地面積甚至還不到一平方公里，參展國家也僅有10個。然而，直到今日，斯波坎所舉辦的世博會依然讓人印象深刻，在人類歷史上留下一個輝煌的足跡。

源起——慶祝建城100週年

　　1969年，斯波坎計畫在1973年舉辦慶祝建城100週年的大型

斯波坎世博會展館

郵票畫出本次世博會的主題「保護環境」

活動。爲此,當地政府請來專家諮詢,並評估其可行性。此時,很多人有感於當地的污染嚴重,於是提出藉此「順便」治理斯波坎河的想法,可是這麼一來,就不只是單純的慶典,加上整治污染等課題,時間、經費都是一大問題。諮詢報告的時間表因此延宕,並有了舉辦一次以環境爲主題的世界博覽會的想法。

想當然爾,起初斯波坎主張舉辦世博會的人寥寥無幾。尤其是關於自然環保等議題,根本沒有太多人了解。當時,斯波坎世博會總監科爾(King Forrest Cole),曾參與過1962年西雅圖世博會的組織工作,深知其中的艱辛與困難,爲了順利推展日後的舉辦工作,他曾在一年當中發表了五十幾場關於重新改造斯波坎的演講,慢慢改變大眾的觀念,進而將自然環保等概念扎根當地。

過程——我們只有一個地球

　　1974年6月5日，在斯波坎世博會制訂了第一個世界環境日，活動主題為「只有一個地球」，聯合國環境署首任主任史壯（Maurice Strong）並在世博會環境會議上做出了一場傑出的演講。

　　不僅如此，原本以工業為主的斯波坎，在長期的產業發展下，備受空氣、水等的污染侵襲，當地著名的斯波坎河曾經水面上總是懸浮著污染的泡沫，河邊警告標誌上面書寫的「河水已污染，請勿在此游泳」，總是令人膽顫心驚，不敢接近。後來，卻因為此次世博會的建設，嶄新的蛻變，不僅治理了斯波坎河的污染，連許多生物，包括敏感的加拿大鵝也紛紛來此築巢安家。

　　這一切，到底是怎麼開始的呢？許多人不禁紛紛提出疑問，也令更多的人注意到此次的世博會。（呂紹理，2005.12）

　　更值得注意的是，直到國際展覽署批准斯波坎舉辦這一次專業性的環境世博會，主題是「無污染的進步」，從此，世博會的議題開始轉向關注自然環境等議題。斯波坎的政府官員及企業，也終於正視在地境內河流污染等問題，並著手制訂改造計畫。

　　這一次人類歷史上的重大成就，不僅為這座城市重新找回了原始新風貌，也給全世界帶來了新的環保觀念。唯有健康的環境、無污染的生存空間，才需要人類去積極創造，也是人類文明的真正進步。

閉幕之後

　　今日的斯波坎，沒有了工業污染，以優美的自然環境聞名，主要以旅遊及服務業為發展重點。重要的觀光景點都是圍繞在這

次世博會的主要舉辦地點，河濱公園、斯波坎瀑布、河濱購物區等等。

1975年沖繩國際海洋博覽會　海洋，未來的希望
International Ocean Exposition, Okinawa 1975

源起——海洋資源的重要

　　人類進入二十世紀，在經歷世界大戰、石油等能源危機後，就愈發重視人與自然環境的相關議題，尤其在面對廣闊無垠的海洋。早期，人類一直以為海洋資源豐沛，是撈之不竭、用之不盡，直到1872年，英國艦隊挑戰者號實施一次海洋的科學考察活動，才首開海洋研究的先河。經過1,606天的考察、713天的海上航行後，不僅發現了約4,717種海洋新物種，奠定了海洋學的基礎，更加深了對海洋的認識。

　　爾後，海洋過度捕撈的問題漸漸浮上檯面，特別是二十世紀中期以後，各國為保護海上礦藏、漁場並控制污染、劃分責任歸屬，聯合國1956年在日內瓦召開第一次海洋法會議、1960年召開第二次的海洋法會議；直到1973年在紐約再度召開的海洋法會議中，制定通過了《聯合國海洋法公約》，1982年12月1日共117個國家在牙買加締約，這才真正確認了人類對於海洋的態度。

過程——最大的專業類世博會

　　1975年沖繩世界博覽會，則是人們對於海洋的思考及依

賴，在主題「海洋，未來的希望」中，共有37個國家參與，參觀人數近330萬左右，是歷史上規模最大的一屆專業類世博會。

郵票左上角的會徽是可愛的海洋浪花造型

　　「這屆的世博會，雖然正值第一次石油危機帶來的經濟蕭條期，可是日本依然全力推動，除了『海上都市』、『海洋牧場』外，還展示了各種開發海洋資源的先進技術與產品。其實，日本殖民政府舉辦的博覽會，目的在展示殖民主義的意圖：第一，鼓勵日本企業到其殖民地投資……說明日本的殖民政策已經由同化的政策改變為聯盟的政策，在聯盟的殖民世界中，是用一種精確且細膩的分類方式，將殖民世界中的人民、社會、文化架構在一個以種族為基礎的體系當中。暴露日本政府藉博覽會之舉行，表現其殖民功績之企圖……。」（陳其澎，2003）

　　不論如何，這屆以海洋為主題的世博會，突出了海洋的形象和作用，還設計了卡通浪花造型的會徽，多了份輕鬆與唯美，引

人遐思之餘又讓人能親身感受海洋對人類的意義，進而正視海洋資源的重要性，讓這屆世博會普獲好評。

1982年諾克斯維爾國際能源博覽會
能源推動世界（世博網，2008）
The Knoxville International Energy Exposition ——
Energy Expo 82

源起──拯救經濟頹勢

位於美國田納西州東部的諾克斯維爾（Knoxville）於1786年建市後，就因為眾多的產業發展而繁榮一時，包括二十世紀早期，市內有很多採石場，以及紡織業及製造業。然而，好景不長，當州際高速公路系統建立起來後，曾是鐵路運輸重要樞紐的優勢不復存在，諾克斯維爾開始走向沒落。為了拯救經濟頹勢，透過世博會重新建設再出發，成為最可行的方案之一。

過程──天時地利人和

隨著工業化時代的急速發展，能源消耗之快非常驚人。1973年爆發了史上的第一次能源危機，因為阿拉伯國家不滿西方國家支持以色列而採取石油禁運；1979年伊朗革命爆發，再次發生了一次能源危機。每一回，都重創西方國家，讓大家開始嚴肅看待能源所可能衍生的問題。而結束第二次世界大戰的原子彈，即是出自與諾克斯維爾緊鄰的美國國家能源部所屬的「橡樹嶺

國家實驗室」（Oak Ridge National Laboratory），這裡聚集了大量的研究人員及相關的能源設備，不僅是美國能源研究的中心，更是舉世聞名。

　　有了這樣的「天時」、「地利」，再加上諾克斯維爾市政府亟欲開闢財源，解決市政上的經濟危機，「人和」也具備了。就這樣，1982年的5月1日，諾克斯維爾舉辦了以「能源推動世界」為主題的世博會。而且，活動非常成功，在一百多天的展期中，吸引了超過1,100萬人次的參觀。

焦點1──鍍金太陽球最吸睛

　　為了充分展現能源的議題，這次最受人矚目的標誌性建築，當屬位在整個世博會園區制高點上的太陽球（Sun Sphere）。81公尺高，重達600噸，除了附有餐廳、飲料吧臺及瞭望臺外，頂部直徑23公尺，表面鍍24K金的金黃色玻璃球最是吸睛。展期間，只要花2美元，就能乘電梯到瞭望臺俯瞰整個園區，直到現在仍是當地地標。

郵票顯示了本屆世博會主題：太陽能、合成燃料

位於整個園區制高點上的太陽球

　　主題既是能源，所有參展國家也都圍繞在此議題中，譬如德國展示了核反應堆的模型，美國則是介紹了自己在能源研究、生產和節能方面所取得的成績，園區內一座超大型，面積達5,000平方英尺的太陽能板也贏得了眾人的掌聲。其他精彩的慶典與活動，包括：美國百老匯劇團、古典樂團、搖滾樂團等，還有已然破敗落沒的鑄造廠改成載歌載舞的酒吧、建於維多利亞時期的火車站成了嶄新的禮品店，也聚集了不少人潮。在田納西大學中舉辦的美式足球賽更是萬頭鑽動，煙火表演、特技表演，讓人目不暇給。

焦點2 —— 魔術方塊最熱門

值得一提的是，在匈牙利館展出的魔術方塊。這是匈牙利建築學教授暨雕塑家魯比克（Ernö Rubik）於1974年發明的，是為了幫助學生認識空間立方體的組成和結構發明的機械益智玩具，最初的名稱叫Magic Cube。令人意外的是，這個純粹是為了教學而創造出來的「教具」，竟引起轟動！估計從1980到1982年，總共賣出了近200萬個魔術方塊，也就是說，全世界有五分之一的人都在玩。魔術方塊這次在世博會的露面，也成了熱門話題之一。

閉幕之後

或許是「生命中的一次體驗」，這句知名廣告語招攬了眾多人的注意，開幕當天才到中午，園區即聚集了近9萬的參觀人潮。一直到目前為止，諾克斯維爾世博會仍是美國歷史上最成功的一次。會後整個城市宛如重生，重新開始發展，很多建設，包括女子籃球館、電影院等相繼開業，市政廣場亦得到了重建，諾克斯維爾散發出欣欣向榮的氣息。

1984年路易西安納世博會
河流的世界，水乃生命之源
The 1984 Louisiana World Exposition

美國在主辦世博會時，很多時候都會優先考慮商業利益，這或許是因為由民間單位負責籌組資金有關。過度強調商業化的結

郵票顯示「水乃生命之源」的主題

果，即會產生許多缺失，最明顯的是因投資報酬率的考量，而影響到展品的內容；因為精彩度不夠、商業氣息濃厚，觀眾卻步，最後導致虧損。

源起——水資源世人關注

紐奧爾良位於密西西比河河畔、北臨旁札特蘭湖，再加上自然環保議題逐漸興盛，關於水資源的運用、保存等，在在成為世人關注的焦點。所以以「河流的世界，水乃生命之源」為主題的世博會，這一年再度來到位於路易斯安那州的紐奧爾良。

過程——新鮮不再

只是展覽的規劃，沒有前一次的精彩與豐富，譬如：利比亞和秘魯只是送來了水生動物、菲律賓展出了釣魚的樂趣、日本則是介紹了利用河流經驗和技術以及河流對其文化和生活方式的影響等等。所有圍繞在水資源的呈現上，包括加拿大用立體電影把遊客帶到水邊、埃

及展出尼羅河的模型，似乎都不像過去幾屆一樣，透過熱鬧多元的聲光效果，在瞬間就能吸引眾人的目光和讚嘆聲。

　　地主國美國館推出了水的再循環處理及水生動植物等方面的展覽，並播放電影，進一步介紹各個地理環境的不同自然水景和交通工具。這樣的展示，對許多人來說也不夠新奇有趣，像是1933年的芝加哥世博會就已將運轉中的煉油廠、牙膏裝管線、麵包生產線等，整個真實呈現在人們面前，並透過電影、立體布景、露天表演等多元化的展出方式，滿足好奇心又刺激感官，自然能引人入勝，造成轟動。

焦點——莫爾的奇景牆

　　此次最受矚目的，應推著名設計者莫爾（Charles Moore）所一手主導的奇景牆（Wonderwall）。在這裡，猶如炫麗的舞臺，每一個都有不同的背景及歷史呈現，身歷其境中又有各種休閒活動可以娛樂兼放鬆心情。渴了、累了，或喝咖啡，或品嚐杯小酒，還有各種美味小吃讓人滿足口腹之慾。這些，都呈現出如馬戲團般的繽紛熱鬧，也猶如遊樂園中的歡暢，乃至於成為這次世博會中最聚人氣的區域。另外，就是「企業號」太空梭的展示，這具以電影「星際大戰」中太空船為名的企業號，在這裡大受歡迎。

　　只是這些仍無法帶來更多的人潮，結果這次展覽就因財務失敗而提前1個月宣布破產，幸好後來美國政府接手，承擔起主辦國的責任，讓展期維持6個月。這是歷史上唯一一屆被宣布破產的世博會，也是美國至今最後一次主辦的世博會。

1985年筑波國際科技博覽會
人類、居住、環境與科技

International Exhibition, Tsukuba Japan 1985

源起 —— 建造功能完善的科學新城

對日本而言，筑波科學城本來就是聚集有眾多的政府與民間的研究機構，是國內科技發展的領頭羊。但對於一個城市而言，單一的科技研究色彩畢竟不夠多元，尤其在相關建設上付之闕如，始終無法發展成國際知名城市。為此，日本政府投入大量資金，除了加快筑波科學城的開發建設，另一方面，並積極籌辦世博會：希望透過世博會的大量曝光，提高國際知名度的同時，並形成具有綜合完善的城市功能的科學新城，並進一步帶動周圍地區的發展。

啟動都市建設的契機為舉辦世博會的重要目的之一，譬如1867年的巴黎博覽會在奧斯曼（Baron Haussmann）的努力下，使巴黎有機會建設成歐洲最美都市的美譽；1893年芝加哥世界哥倫比亞博覽會則是讓歐洲都市建設的觀念首度引進美國的都市中，而世界哥倫比亞博覽會也被稱為「繼傑佛遜時代以來，美國第一個經過有效規劃的都市建築複合群」（陳其澎，2004：12）。因此1985年的世博會也成為筑波重要的轉型契機。

過程 —— 國家級的科技城誕生

在日本資金投入後，不管是在會場建設、環境整治或基礎設施建設上，都有了很大的改善及完整的建構，這讓筑波不僅在城

市中心街區的建設日後發展得更爲
健全，亦促使筑波向外擴張，成爲
地區中心城市；另一方面，亦成爲
日本國家級的科技城，許多跨國大
企業的高科技研發機構紛紛設於此
地，並舉世聞名。如今，日本的科
技發展在世界上處於領先地位，不
能不說是筑波科學城的一大功勞。

　　爲了打造「筑波科學城」的國
際聲譽，1978年9月22日筑波舉辦
世博會的設想第一次公布，經國際
展覽署同意後，於1980年初確立
主題。因爲筑波本就是以科學發展
聞名，自然也就被冠以「科技世博
會」的頭銜。

　　有鑑於二十世紀中後期以後，
科技發展一日千里，對於周遭環境
的破壞日益嚴重，再加上大規模殺
傷性的武器崛起，對地球資源的掠
奪性開採；種種因素都讓人不由得
反思科學和技術的應用，是否能降
低對環境的影響、是否能使地球人
類生活得更美好等問題。

　　此次以「人類、居住、環境與
科學技術」爲主題的世博會，即是
希望能藉此加強國際間的科技交流

郵票顯示的是筑波世博展館

與合作，反映二十一世紀科學技術的發展方向，同時，創造未來更美好的生活應用。

日本向來專注於世博會的舉辦，尤其在媒體行銷上，譬如，「在參加1915年美國舊金山巴拿馬太平洋博覽會時……日本傾全力準備，選件之精緻和數量更甚以往。透過與媒體的頻繁互動和不斷地舉辦派對或活動……。」（周芳美，2007）

1981年9月，日本正式向世界發出邀請，並在1982年6月20日舉行了倒數計時1,000天的宣傳活動。一連串縝密的構思及活動，包括行銷，都是促成筑波世博會成功的主因。這屆世博會總共有46個國家和37個國際組織參加展出，日本各大公司亦是組織了28個館參展，創造約2,000萬的參觀人次，成果十分豐碩。

重要的是，此次世博會讓更多年輕人了解二十一世紀的科學和技術，並以豐富多元的展覽會形式，為政府和公司參展者提供開發和展示其最先進技術成就；另一方面，強化未來知識密集型產業和科學的突破發展，使世博會成為全世界科學家和研究人員交流科學技術資訊的機會，在各方面創造科學與技術文化的新突破。這些，都是此次舉辦筑波世博會的重要目的，事後證明也都一一達成。

焦點──科學始終來自於人性

這次的會徽是由日本設計師田中一光所設計，被賦予特殊涵義元素所構成的三角形標誌，分別代表著博覽會主題的三個方面：人類、居住、環境，並藉由巧妙的設計和解讀，線、點、圓各有特殊意涵，重要的是，每個元素都被注入了人性化的理解，是具有特定資訊傳遞功能的藝術符號，展現了關於宇宙、地球、

人類、科學、藝術等的未來理想。

　　在這樣的思維中，日本在大力宣傳科技進步，給人類生活帶來前所未有的改變和提升的同時，積極推動促進日本高科技產業發展固然是重點，許多展出的科技產品不但好用、專業性強，卻也是可以觸摸、拆卸、安裝和操作的，充滿了人性化的考量。多元的思考、活潑的呈現，讓所有在場的民眾不僅驚呼連連，日本大中小學也紛紛動員來參觀，即便年紀小的孩子也充滿興趣。

　　特別是大型機器人的展出，最是引人注目，其他包括動物昆蟲視聽覺中的世界、機器人表演的舞臺音樂劇、24×25公尺的索尼電視螢幕、高速列車、85公尺高的大轉輪。每一個都是在科技發展中，充滿了會引人興趣的創作。美國館也展出了「會思想的機器人」。其中的星際旅行、宇宙生活，更成為這屆筑波世博會中的時尚話題，並一再提醒，當搭乘太空船疾速駛向大地時，「蔚藍色的地球始終是人類寶貴的遺產」，不要忘了在探索宇宙的同時，更要謹記地球始終是我們的家園，需要好好呵護等議題。

蘇俄郵票顯示了本次的特色：（上）太空人探索宇宙；（下）通訊衛星

1986年溫哥華世界運輸通訊博覽會
世界通聯與脈動
The 1986 World Exposition on Transportation

源起——溫哥華建市100週年紀念

　　這屆世博會名義上是慶祝溫哥華建市100週年紀念，實際上卻是想透過博覽會的舉辦，建構完整的現代化都市。1967年蒙特婁世界博覽會的成功，在某種程度上促成溫哥華決定舉辦世博會，希望重新審視都市功能、建造及設計，進而擴展城市發展功能。

過程——營運赤字高得嚇人

　　當時，溫哥華雖是加拿大的最大港口，在交通上也扮演著樞紐的角色，可是現代化都市的相關建設不足，直到1970年代末期，附近的福溪（False Creek）沿岸，多達近200英畝的土地還只是一片荒廢的工業用地。因此當1979年6月溫哥華向國際展覽局提交舉辦世博會的建議書時，很快的，卑詩省立法會便於1980年通過舉辦世博會的草案。接著負責籌備及營運世博會的非營利組織於1981年底成立，並由當地富商帕蒂森（Jim Pattison）擔任首席執行官。

　　1986年5月2日正式開幕的世博會，一開始即是眾所矚目，包括威爾斯親王查理斯和王妃戴安娜，以及首相梅隆尼都應邀出席；共有54個國家以及多家機構參展，入場人數達到2,200萬。可惜的是，最後結算營運赤字竟然高達3億1,100萬加幣。

閉幕之後

即使如此，後來溫哥華的蓬勃發展，證明了這不僅是一次成功的世博會，更是創造今日溫哥華成為舉世聞名國際大都市的主因。當時為了世博會所規劃興建的科學世界、高架列車、加拿大廣場、卑詩體育館，不僅完整保留了建物，也成了今日溫哥華的地標建築，分別為科學館、大溫哥華地區的捷運系統、郵輪碼頭及多用途體育館。

爾後，溫哥華不僅呈現脫胎換骨的新氣象，福溪會址和耶魯鎮一帶更是從荒廢的工業用地轉型成高密度住宅區，並因此帶動當地的繁華，刺激了卑詩省的旅遊業，2010年的冬季奧運會及殘奧會亦在這裡盛大開幕，讓人看到溫哥華繁華進步的一面。

加拿大廣場的港口，現在已是郵輪碼頭

卑詩體育館沿用至今

1988年布里斯本世博會
科技時代的悠閒生活

International Exhibition on Leisure, Brisbane 1988

源起——世界中心移轉到南半球

時間的巨輪緩緩移動，引領時代的潮流，政治、經濟、文化中心從歐洲來到美洲，再到亞洲，第二次世界大戰爆發，南太平洋戰區成為焦點。這時，為了防禦，澳洲成為聯軍軍事防備中重要的一員，數以萬計的軍人進駐，「太平洋戰區」統帥麥克阿瑟將軍也將指揮總部同時移到布里斯本；戰爭結束後，世界的重心移轉，也讓這座位在南太平洋的美麗城市喚起了全球的矚目。

過程——南半球規模最大的一次

布里斯本位在澳洲昆士蘭省，是昆士蘭省人口最多，並且是全澳洲僅次於雪梨與墨爾本的第三大城市。蔚藍而壯闊的海岸線，每年不知道吸引多少人到此悠閒度假，整個城市散發著慵懶而愜意的美麗風光，1988年舉辦世博會時便以「科技時代的悠閒生活」為主題，在4月30日至10月30日這段期間，吸引了近2,000萬民的觀眾。

由於投入高達6億多澳元的經費，使得這屆博覽會也成為有史以來南半球規模最大的一次，亦是歐洲人定居澳洲200週年的紀念活動中最盛大的一項。直到今日，布里斯本河南岸的一處人造「南岸公園」（South Bank Parklands），仍是舉辦大型露天活動或嘉年華會的重要場地，每到假日總是吸引無數男女到此遊憩散心。

布里斯本河南岸公園

1992年熱那亞專業性世博會
哥倫布，船舶與海洋
Specialised International Exposition, Genoa 1992

源起—— 哥倫布發現美洲500週年

　　以義大利航海家哥倫布發現美洲500週年為名，1992年在他的出生地義大利熱那亞舉辦了紀念世博會。熱那亞隆重推出主題為「哥倫布，船舶與海洋」的世博會。在5月15日到8月25日這段期間，包括博覽會主席、各參展國政府代表，義大利政界、軍界、文化和經濟界等眾多重要人士皆應邀出席。冠蓋雲集中，琳瑯滿目的展品像是帶領大家穿越過時光的隧道，回顧著人類輝煌的航海歷史，並細細品味這千百年來的經典發現，探討當代航海技術的發展和展望未來的前景。

1992年是哥倫布發現新大陸的500週年。郵票顯示了當時的航程與航行情境

過程——充滿冒險與浪漫

其中，包括地理發現、海洋生物、環境保護、航海與造船技術等等，吸引了大部分人的目光。展覽會期間，各參展國還舉辦了館日活動，熱鬧而精彩的表演中，還有部分國家派文藝劇團，帶來了一百多場繽紛吸睛的文藝節目。

這次位於博覽會主會場的中國館，圍繞著這次船舶與海洋的主題，也以福建省泉州「海上絲綢之路」為展覽主軸，呈現十五世紀前後中國與歐洲國家，特別是義大利在海上通商、文化交流方面的歷史。眾多船舶模型、圖片、錄像和幻燈，都讓人深深感受到航海歷史中，引人遐思而充滿冒險浪漫的一面。

1992年塞維亞世博會
發現的時代
Exposicion universal de Sevilla, 1992

源起——力挺哥倫布航海計畫

無獨有偶的，哥倫布發現美洲新大陸500年後，全力支持哥倫布航海的西班牙也在塞維亞（Sevilla）舉辦以「發現的時代」為主題的

博覽會。而且，因為事先規劃完
整，並提早做足準備，最後獲致
空前的成功。

在西班牙艦隊稱霸世界的年
代中，船隊從新大陸運來的大批
黃金、白銀，就是經過塞維亞轉
運到歐洲各地。城中那座聳立在
瓜達爾基維爾河畔的十二等邊形
黃金塔，就是建造於1221年，
那時，外牆上甚至鋪上閃閃發亮
的黃金，耀眼奪目。然而，隨著
西班牙航海時代的結束，塞維亞
也跟著沒落，成為安達盧西亞自
治區內一個沒沒無名的古城，不
僅城內經濟凋零，失業率也居高
不下。

瓜達爾基維爾河畔的黃金塔

直到1992年，塞維亞舉
辦了綜合性的世界博覽會。
「1851年倫敦世界博覽會中出
現的水晶宮建築開啓現代建築發
展的先聲；1893年哥倫比亞博
覽會讓芝加哥獲得建設現代化都
市的契機；1936年柏林奧運會
鼓舞了納粹德國的國家主義意
識；1964年的東京奧運會讓日
本從戰敗的陰影中重振其經濟領

導地位：1996年亞特蘭大奧運會也讓世界觀眾見識到媒體傳播的力量。」（陳其澎，2004：2）每一次的世博會，都極可能對當地產生重大的影響，塞維亞更是其中的佼佼者。

過程——建構基礎設施

西班牙政府共投資數十億美元，歷時7年的時間籌劃這屆世博會，比熱那亞舉行得較早，在4月20日這天隆重揭開序幕。期間，共有一百多個國家和地區、數十個國際組織及跨國大企業一起參與。最令人讚嘆的是，世界各地有六百多名的建築師共同熱情參與，把塞維亞合力建成一座現代化的新興都市，進而帶動了西班牙經濟發展較爲落後的南部地區，促進了全國經濟的平衡發展。

雖然塞維亞曾是一個重要的港口，可是幾百年來，地位日漸衰敗，長期處於交通不便的南部地區，在政治、經濟、文化方面亦是相對弱勢。世博會開始規劃後，西班牙政府先是耗費鉅資建構當地的交通及通訊等基礎設施。最明顯的改變是，過去從首都馬德里到塞維亞，全長近500公里的距離，開車至少要6、7個鐘頭；高速鐵路完成後，縮短到2個多小時。塞維亞到馬拉加、到格拉納達的高速公路，也都一併規劃進國內和歐洲的公路網，從此交通更爲便捷，也將塞維亞連接到西班牙乃至於整個歐洲。而塞維亞的聖保羅機場（San Pablo）新機場，也逐年提高載客量，帶來大批的國際遊客。

大量基礎設施的興建，讓塞維亞一舉跳脫地域性的城市，更令所在地的安達盧西亞省成爲連接地中海、北非和拉丁美洲的樞紐，促進經濟繁榮的同時，也大幅帶動當地的城市發展。事實

上，當時建構世博會場時，交通即是首要目標。展覽會館各個方向，均設置出入口，並配置高速鐵路車站及大量的停車場。

　　會場內交通亦是規劃完善，主要的單向環行巴士車隊，全長約爲5,000公尺，在環繞各個展區和連接各個出入口的過程，沿途都有設置站點，非常便捷。根據事後統計，約有一半的參觀者會選擇這種交通方式。其他，還有單軌電車和空中纜車可以搭配採用。跨越瓜達爾基維爾河的空中纜車，無論白天或夜晚，俯瞰的景色各有不同，還可以將世博會的盛況盡收眼底，觀賞到位在園區內的各具特色的展館。

　　更令人矚目的是，塞維亞城區西北部瓜達爾基維爾河中的卡圖加島（La Cartuja），地理位置雖然近市中心，但因爲河水長期氾濫成災，始終發展不起來，島上大部分地區仍只能零星

美麗的阿拉米略橋

耕種作物。藉由世博會的重新規劃，這裡興建水利工程，並新修7座跨河大橋，除了大幅改善河水淹沒的問題外，更促進島上的經濟發展，尤其是令人耳目一新的阿拉米略橋（Puente del Alamillo）。

這座橋跨越阿方索十三世運河，是通往卡圖加島的一座重要橋梁，由西班牙著名建築師卡拉特拉瓦（Santiago Calatrava）設計，從1989年開始興建，直到1992年才完成。不對稱的造型被奉為結構和藝術的經典結合，呈現出的視覺之美，讓這座橋至今依然是當地最美麗的地標之一。

閉幕之後

這次共建有98個展館，有些已被拆除，但有些則保留下來成為熱門的景點。過去，雖然也有世博會的著名展館被保留下而成為經典建築，譬如巴黎的艾菲爾鐵塔，但像塞維亞世博會展館這樣60萬平方公尺的場地，超過一半以上的再使用率，則是史上罕見。

如今，這處位於瓜達爾基維爾河西岸，曾因世博會而繁華熱鬧的地方，早已展現新的風華，成了塞維亞中極具特色的景點。從過去被保留使用的展館，譬如法國、葡萄牙、芬蘭、奧地利、加拿大等，似乎可窺見當時世博會的熱鬧，而轉換後的新面貌亦是別具特色。

有些展館被拆除後所留下的空地，透過再設計規劃，結合既有的設施，現已成當地非常著名的「塞維亞科技園區」（Sevilla Tecnopolis）。園區內，現有塞維亞大學的工程、通訊、化學等多個學院，還有原先國際展區改建成的科技企業園區以及世貿中心等。眾多在科學園區內工作的研究員、專家，還有大型企業，

塞維亞世博會Charterhouse島的美麗展館

諸如在能源、應用工程、環境科學、生命科學、IT通訊等多種產業的匯集，讓這裡儼然成為西班牙的高科技研究中心。

　　近半年的會展期間，共計有4,000多萬人到此參觀。雖然最後結算虧損金額達到近4億美元，但最後塞維亞如同脫胎換骨般的蛻變，讓西班牙政府認為這是空前勝利的活動。

1993年大田世博會　新的起飛之路
The Daejeon International Exposition, Korea 1993

源起——在國際舞臺上發光

　　二十世紀中期以來，韓國因實行「出口導向」的經濟策略，積極推動經濟發展，締造了舉世矚目的「漢江奇蹟」；韓國已是亞洲耀眼的一員，不管是科技發展上，或是經濟的建設上。特別是在1988年成功舉辦漢城奧運會之後，1993世博會的舉辦更有加速進展的效果。對韓國而言，歷經3年半的籌劃和建設、總投資金額達到20多億美元的付出，爲的就是透過世博會的建設與宣傳，將大田建構成一個現代化且具知名度的國際城市。

　　誠如這次的主題「新的起飛之路」，又如這次所選的吉祥物「夢精靈」，是一個能施展各種本領的宇宙小精靈形象；表達的不只是人類對科學技術的夢想，更象徵韓國亟欲成爲國際舞臺上耀眼新星的願望。

過程——建構韓國科技「矽谷」中心

　　大田世博會從8月7日到11月7日，共有108個國家和33個國際組織，約有1,000多萬的參觀人次，總收入達到4,471億韓元，約23億美元左右，成績斐然。

　　世博會期間，匯集此處的傳統技術，或是現代科技成果，包括先進的交通工具、太空技術、電子通訊科技、機器人資源、新材料的開發及新能源等等，都在無形中促進了韓國大田市的發展，不但加強了科技方面的產業基礎建構，也提高了當地的經濟建設。

閉幕之後

　　目前，大田不僅是韓國的重要科技中心，譬如韓國科學技術院、韓國電子和電信研究院、韓國航空宇宙研究院等眾多研究機構都位在此處外，包括園區內的數十個韓國政府主管的研究所、研究人員也都紛紛長駐此地。尤其是大田市於1998年成立的世界科學城市聯盟（World Technopolis Association），現今已是有30個國家共63個會員城市的龐大組織，每次推動的科技議題都深受世界矚目；再加上知名的三星集團研發中心、資訊技術研究院、韓國科學技術聯合大學也都聚集在此，大田已被喻為韓國的矽谷。

　　為使科技能夠在當地永久扎根，融入人們的生活。當初在舉辦世博會之際，興建的很多展館即屬永久設施，譬如著名的光明塔、三維影視館、宇宙探險館、地球館、自然生命館、電能源

大田博覽會橋的夜景

館、能源館、科學遊戲館等。在重新規劃後,結合更多吸引人的設備,包括夜光廣場、音樂噴泉、游泳館、滑冰場,重新擴建爲科學公園。每一年,這裡仍是當地最具人氣的「景點」,深受大小朋友的歡迎,並沒有因爲展覽結束而畫下休止符。

國際展示區中的臨時建築在拆除後,所占土地賣給企業,獲利所得作爲經營科學園區的資本。除了挹注在園區的經營外,每年還舉辦各種精彩活動,不管是亞洲舞蹈節、韓國傳統工藝展、世界電子遊戲大賽、菊花節、冰上芭蕾、冰雕節等,或是深具口碑的科學少年團活動,每次都吸引眾多參加人潮。能將世博會後的場地作如此多元而創新的發揮,韓國大田市舉辦的世界博覽會也因此被讚爲是世博會史上非常成功的一次。

1998年里斯本世博會　海洋,未來的資產
Lisboa Expo'98 – 1998 Lisbon World Exposition

位於葡萄牙中南部大西洋沿岸的里斯本,是與倫敦、巴黎、羅馬等同爲西歐史上時間最悠久的城市之一。從1256年正式爲葡萄牙王國的首都後,地理大發現時代很多航海家都是由里斯本出發到世界不同的地方探險,曾是葡萄牙殖民帝國中占有一席之地的政治、商業、文化中心。直到後來,天災人禍不斷,先是一場針對猶太人的大屠殺,十八世紀中期又發生大地震,到十九世紀時拿破崙入侵,當時的皇室集體逃亡到巴西,城市又受到一定程度的破壞。

源起——恢復過去的輝煌

1998年里斯本舉辦世博會之前，城市到處隱藏著危機，譬如太加斯河（Tagus River）流經的里斯本東部邊緣區域，長久以來一直呈現殘舊破敗的景象。垃圾、廢棄物的堆積，尤其是煉油場、設施簡陋的屠宰場等危險設備，造成這個區域嚴重污染，平常根本沒有什麼人敢靠近。為了作大刀闊斧的改變，促進此地的發展，進而讓這個地方達到與其他歐洲城市一樣的進步繁榮，恢復過去輝煌時代的榮光；藉由世博會的重新規劃與建構，為里斯本打造一個新面貌，是舉辦這屆世博會最重要的目的。

因此，1988年在紀念葡萄牙航海家達伽馬（Vasco da Gama）發現印度航線500週年之際，以主題「海洋，未來的資產」為名義的世博會，讓葡萄牙動員了龐大的人力，光是世博會和地區重建計畫就耗費了幾十億歐元，很早即開始了一連串的準備與規劃。

過程——基礎建設是首要目標

這次重新規劃，建構城市的現代化設施，基礎建設是為重要的一環。區域交通網路的改善計畫，包括興建跨河大橋、公路、鐵路和地鐵，並建立與各地方區域，以及里斯本城市交通網路之間的便捷聯繫，都是首要目標。特別是在世博會場址中建設多種交通方式的轉換樞紐，包括鐵路、地鐵、長途汽車、計程車和私家車等，以強化、提高區域交通網路的整體運輸效率，讓人可以透過四通八達、便利且快速的交通網，從城市、從世博會來往於各地。

先進的地下污水處理系統，也是這次建設過程中的重要目

1998年為世博建設的里斯本車站

為世博建設的達伽馬塔，像一艘將要遠航的帆船

標，包括垃圾處理、冷熱水系統、電力以及現代化的光纖通訊網絡等。此外，為了確實達到世博會的舉辦效率，在場址的規劃設計方面，明確的交通網絡結構以便疏散人潮；並利用太加斯河的先天親水環境，體現海洋的訴求主題；以及世博會結束後仍能繼續運用部分展館，進而建構完整的城市功能，滿足地區重建計畫的整體要求，都是這次的設計世博會的建設重點。

場址採取方向明確的方格路網，南北向的林蔭大道作為場內交通主軸，亦是串連各個功能區域的路線。林蔭大道東側的濱水地帶，是布置核心的開放空間，以及主要展館和服務設施；林蔭大道的西側則是次要展館，以及管理和物流設施。

除了南北向的林蔭大道作為結構軸線，還有一條東西向的網絡，分別與場址周圍的四個入口相連。在世博會的設施和環境形成重建地區的核心部分，也是里斯本的公共活動中心，臨時建築

區域及世博會的周邊地區則是日後用於商務和住宅發展，其他還有大型公園、綠地，以及重新規劃完成的居住、商務和休閒融爲一體的綜合功能地區。種種新面貌，都讓這裡在世博會後，依然散發出新氣象、新活力。

焦點 —— 歐洲最大的水族館

　　這屆是二十世紀裡最後的一次世博會，5月22日到9月30日舉辦，共吸引1,000萬以上的參觀人潮，超過上百個國家與組織的熱情參與。由於這一年是聯合國批准的「國際海洋年」，所以把主題定爲「海洋，未來的資產」是再適合也不過了，光是葡萄牙從1997年底到1998年5月所發行的6組《里斯本世界博覽會》郵票，內容關於海洋生物和與航海有關的事物，即深受許多人的

外觀像碼頭的海洋水族館

歡迎，尤其是愛好收藏者。

這次共有5個主題展館，大部分是爲永久性建築，具有明確的後續用途。其中的主題展館即是葡萄牙國家館，除了展現葡萄牙地理大發現時代中眾多傑出事蹟及貢獻外，建築體的特殊設計，可供世博會舉行盛大而隆重的典禮，包括各個參展國及國際組織的「館日」也是在這裡舉辦；另外，還有就像座落在水中的海洋館（Oceanarium），遠看像是海上的碼頭，展現全球四大洋的多樣化生物，是歐洲最大的水族館；烏托邦館則是形似大海龜的橢圓形建築物，每天舉行多場多媒體的影像展示，是非常吸引人的科幻節目。

比較特別的是，作爲專題類世博會，這屆採用的是大型聯合展館，而不是各個國家的獨立展館，包括位於南北向林蔭大道西側的國際組織展館、企業展館和葡萄牙國內地區展館都是小型展館。36家贊助企業中，Coca-Cola、Swatch、Microsoft和Sony等都是知名跨國企業，也都參與這次熱鬧而盛大的展出。

服務設施完善，譬如餐飲、商業、休閒娛樂、資訊詢問、醫療救助、銀行、兒童託管、失物招領、物品寄存和保全保潔等，以及提供參展國家和國際組織的布展人員住宿的世博村，其中的接送、公寓、休閒和娛樂設施都備受好評；展館周邊的休閒設施，譬如超大電視螢幕轉播法國世界盃的足球比賽、讓喜歡刺激的人充作極限運動區域，以及夜間廣場上盡情歌舞的熱鬧場面，讓這屆的世博會充滿了視覺、聽覺、味覺等感官上的極致饗宴。

閉幕之後

根據世博會當時的調查數據顯示，近一半的遊客表示非常

位於萬國公園內的微軟大樓，曾是世博的展區之一

滿意，並認爲品質超乎預期水準，有八成的遊客表示將會再次光
臨，九成七的人表示會向其他人推薦里斯本世博會，可見本次世
博會的成功。

　　展區中保留的核心區域現今已成爲里斯本的一個公共活動
中心和旅遊景點。烏托邦館是多功能的活動中心，國際聯合展館
則是里斯本的展覽中心，至於世博會場址周邊區域的辦公樓和住
宅建設，現已建成一密集而繁華的現代化城市發展中心，包括
BMW、Mitsubishi、Ford、Sony等知名跨國大企業紛紛進駐。在
原先規劃好爲交通轉換樞紐的世博會西側入口廣場中，已有大型
的購物中心。

　　經由各種建設和活動，向世界展示現代化的葡萄牙，帶動周

邊地區的城市復興，形成里斯本的經濟發展核心，進而提升里斯本的城市競爭力之際，里斯本還刻意保留原有的風貌，譬如挖入式港池及煉油廠的一處反應塔；透過歷史的足跡，讓人感受過去里斯本所創建過的風貌，呈現工業景觀的脈絡，讓人了解這個城市所走過的每一步。

　　經過這次大規模的世博會活動，里斯本再度躍升為西歐重要城市一員。現在里斯本區亦是葡萄牙最富庶的地區，人均GDP遠高於歐盟的水準，並占整個葡萄牙近一半的比率，為葡萄牙的政治、文化中心。另外，這裡還號稱是西歐景色最優美的港口城市，奠定了葡萄牙的國際形象和聲譽，成功在2004年申辦歐洲足球錦標賽。

1999年昆明世界園藝博覽會
人與自然，邁向21世紀
1999 World Horticultural Exposition

源起—大陸第一個獲得認證的世界園藝博覽會

　　1992年起，大陸地區即極力爭取舉辦世博會，直到1995年12月初，國際展覽局第一一七屆會員大會一致通過，1999年世博會移址到大陸地區昆明舉辦。這是大陸地區舉辦的首屆專業類世界博覽會，也是第一個獲得國際園藝生產者協會（AIPH/IAHP）與國際展覽局認證授權舉辦的A1級世界園藝博覽會；同時，也是在昆明、雲南省乃至西南地區舉辦的最高規格、規模最大的一次世界性展會。

過程——打造一座世界園藝博覽園

　　為期184天的展覽中，於昆明市北郊，占地達218公頃的面積，以主題「人與自然——邁向二十一世紀」吸引了達950萬的參觀人次。這屆世博會運用雲南得天獨厚的自然環境，在森林覆蓋率高達七成、五百多種樹木間欣賞展覽，結合中國古典園林藝術設計的布局，在蜿蜒而錯落有致的設計裡，不管是人與自然館、大溫室、科技館和國際館等室內展區，或是國際展區、竹園、蔬菜瓜果園、藥草園、盆景園和樹木園等戶外展區，都有種渾然天成的美妙體驗。

引人注意的中國傳統亭臺樓閣、小橋流水建築

　　除了匯集大陸地區的園藝精品外，中國古典建築，傳統的亭臺樓閣、小橋流水亦引人入勝。會展期間，各種國際學術報告會及專題花卉展示活動也各具特色。世博會結束後，大部分的展館都以原貌保留下來成為「世界園藝博覽園」，不僅是當地旅遊特色景點之一，在某種程度上，也促進了當地的經濟、文化發展。

你知道嗎？

　　亞洲第一個標榜人類與自然主題的是1990年日本大阪「國際花與綠博覽會」，展覽主題是「自然與人類的調和共生」，A1級規模。

　　展場位於大阪鶴見綠地，占地140公頃，有83國及55個國際機構參展，參觀人數2,312萬人，支出1,138.76億臺幣、收入1,513.68億臺幣，盈餘374.92億臺幣。

大阪花博的象徵「生命之塔」

Chapter 4

二十一世紀的世界博覽會

上海世博的中國館

2000年漢諾威世博會　人類、自然、科技

The 2000 Hanover's World Exposition Expo 2000 Hannover

源起——地理位置得天獨厚

位於萊納河畔的漢諾威，在既處於德國南北和東西鐵路幹線交叉口，又瀕臨中德運河，掌有得天獨厚水陸輻輳的交通樞紐，又是德國汽車、機械、電子等重要的產業中心，舉辦世博會應是順理成章。尤其是自從1947年舉辦過轟動一時，至為成功的工業博覽會後，漢諾威早已發展成一個重要的展覽會議城市；除了一年一度全球規模最大的資訊科技展覽會CeBIT以及漢諾威工業博覽會外，漢諾威展覽公司還在此舉辦各類其他知名的展會。

過程——市民公投決定申辦

1990年漢諾威決定申辦世博會時，遭到很多當地人的反對，擔心會影響到漢諾威的生活品質，以及產生某些不必要的負面影響。為此，漢諾威還特地舉辦大型的市民公投，直到當年度的6月選舉結果出爐，漢諾威人以超過半數些微的差距，才決定申辦世博會。兩天後，在國際展覽局中又以一票險勝競爭對手加拿大多倫多，漢諾威世博會方有機會登場。

還有件意外插曲，就是美國在最後一刻因為找不到贊助，缺乏經費而放棄參展。只是這些過程中的小「阻礙」，並不影響首次在德國舉辦的世博會。這場二十一世紀的第一屆世博會，從6月1日到10月31日5個月的期間，不僅是人類科技文明的展示，

尤其是在「人類、自然、科技」的主題下，展現了對自然資源、環保意識的重視。基此，這屆世博會要求所有參展國的展館建築，必須符合可持續發展和保護自然生態的要求，並盡可能減少對環境產生負面的影響。

展覽館以鯨魚為造型

　　而且，德國以為只有全球把人類所面臨的重大問題，均視為其共同的責任和義務時，問題才有可能得以解決。另一方面，因為議題過於龐大，唯有更多國家共同參與才得以解決。秉持著這樣的想法，德國毅然拿出1億歐元，幫助那些在經濟上無力參加世博展的國家。這屆世博會首次引入主題館的作法，10個大型主題館從不同角度，力求啟發人們去為全球所面臨的共同問題尋找解決方案，並舉辦10場由世界幾十家著名智庫參與策劃的「全球對話」討論會。

焦點1 —— 生態社區的永續經營

　　基於可持續發展和資源保護等議題，展覽區內既有自然的水體、綠地、植被，還有人造小溪和沙漠，以及大型主題公園和中心廣場等，在呈現各國現代科技水準的同時，又兼具民族文化特色的風格多樣性及精彩風貌。更吸睛的是，由風景園林設計師基納斯特（Dieter Kienast）和羅阿菲（Kamel Louafi）透過園林景觀的設計，掌握植物的特性，與自然風光、人造景觀的巧妙結合，貼切地展現世博會的主題。

　　這次的展區，最主要是由東、西兩部分組合而成。東部展區可說是現代環保議題的最佳呈現，亦是講究綠能低碳設計的經典楷模。為了確切落實低耗能、低污染，以符合自然生態的主軸，早在博覽會舉辦前五年之際，德國政府即選擇克龍斯堡（Kronsberg）城區，以生態化設計手法，同時又兼顧新的居住品質，規劃城市的永續發展，除了低碳綠能、淨化設施，還到處

東展區

充滿了水和綠的生態社區營造方式。

　　對世博會而言，每一個開發設計都會納入自然的考量，特別是對水資源的運用，可有效提升日後的生活環境品質。因此在這個區域中，預計將在世博會結束後，發展成以居住為主的新市鎮。其他位在這裡的永久性展館，則發展成新市鎮的商業及休閒娛樂中心，如法國館用於銷售體育用品，中國館改為中國中心等。

　　以人為本的思想，讓這屆世博會在許多的設計和展覽上，充滿了人性化的關懷。譬如展區內設置了多處的遊戲平臺，有專職的兒童看護可以提供協助；而最富盛名的漢諾威動物園作為2000年世博的項目之一，是將原來傳統的動物園改建成透過遊戲、展覽、活動等型態，呈現多元而活潑的動物園。處處都體現著人文關懷的景觀設計，確保參觀者能夠充分瀏覽、體驗展覽真諦，又能得到充分的休息。

焦點2 —— 世博湖

　　西部展區中最著名的活動地點 —— 世博湖，透過特殊而巧妙的設計，湖中宛如小島林立，彼此像是獨立又可連接在一塊兒；最使人讚嘆的是小島上方的設計，看似用來遮風避雨的屋頂，卻是可收集雨水的巧妙構造，外形則是一層半透明的再生塑膠薄膜。這裡除了可作水資源的再利用外，亦是用餐、表演、娛樂休閒空間。

　　其他參展國的展館亦是充滿特色，譬如荷蘭館，展示如何在幅員狹小的國土上有效運用空間，並利用再生能源以水力帶動風車發電供展館使用；芬蘭館，採用自然環保的綠建築，並在館

內種植近百棵的白樺樹，世博會結束後，將和展館一起留在漢諾威落地生根；日本展館，是用紙管建成，宛如蜂巢結構的「紙房子」，全部材料都能重新回收利用。瑞士館亦是一絕，外形貌似「瑞士音樂盒」，「盒」中有「通道」、「內院」和「中庭」等，人們可以從任何一個角度，不受限制地進入其中；身處其中可以嗅到樹木的芳香，觸及木作的肌理，感知自然的通風、陽光、雨滴以及豐富的自然光線變化等。

西部展區利用原漢諾威貿易展覽會場地，經過適當改造後成為世博會的主要場址；另有一部分，則用於建造某些國家的展館。由於原來在這裡的貿易展覽場址，和許多其他設施之間缺乏整體的聯繫，因此，規劃小組將新舊場館統一考慮，從整體的城市規劃去進行調整，並透過「聯合林蔭大道」（United Tree

呈東西方向軸線的中央燈柱步行天橋

Avenue）和呈東西方向軸線的中央燈柱步行天橋（Exponale）與各個展館、展區作鏈結，也將與新開發的克龍斯堡城區連接在一起。

　　在眾多樹木林蔭所形成的綠色開放空間妝點中，不管是綜合展廳群、主題展館群和獨立展館群，都井然有序地分布在展區裡，看似一體，卻又各自分隔清楚。

閉幕之後

　　漢諾威世博會雖然沒有留下地標性建築，但其留下的場館利用率高達八、九成。法國館現在是寶馬汽車銷售點，德國館上層則作為大學教室，下層是企業舉行大型活動的場所，中國館與芬蘭館則分別進駐一些企業，成為其辦公室。

德國館

2005年愛知世博會　自然的睿智（世博網，2008）
EXPO 2005, Aichi, Japan

　　「早期日本在參與世博會時，即已考慮得十分周密。日本向來採用的是簡美精緻政策，雖然日本占地比中國多6個藝廊，但是出品遠比中國少、獲獎卻比中國多，藝評家Ben Macomber在*San Francisco Chronicle*報上的評論即以大標題告知世人，在這場博覽會中，日本教導我們純真之美……日本能善學歐美之新法而改良傳統藝術……。」（周芳美，2007）

愛知世博會場入口（維基百科 / Chris 73）

源起——追求與地球生態平衡相和諧的生活

2005年3月25日到9月25日，在日本名古屋東部丘陵舉行展期185天的愛知世博會。這次的世博會又被稱為「愛‧地球博」，其實也是寓意深遠。愛，除了是代表主辦地愛知縣外，「愛」與「地球」，亦是人類如何實現與地球這個生養人類的自然環境和諧共生的重要焦點。因著主題「自然的睿智」，從會場的建築設計到各展館的建造，展示的新科技、新技術與傳統特色，都以多元而別具特色的方式，呈現出與自然與地球和諧共處。

這個時期的人類，雖然在經濟上高度發展，在產業上也取得不少卓越成就，但伴隨而來的能源供給、人口膨脹及老化，還有各種污染，也在全球逐漸形成嚴重問題。最明顯的就是1750年工業革命之後，人類在產業、科技上急速成長，雖然帶來便利，卻也造成極度的危害。愈來愈多人了解：追求與地球生態平衡相和諧的生活，與「自然的睿智」緊密一體化，才有意義。

過程——科技、建築、文化的展示與交流

這屆世博會目標定為，提供一個國際性的交流平臺，所有的參觀者將藉此接觸大自然並融入其中。鑑於此，包括探索地球環境和人口問題的起源、闡述關於高齡化社會和少子化問題的生命議題，以及關注於開發新型能源和再生技術等諸多內容，都將成為此次展覽的重點，並以多元的方式呈現。

展覽內容上，人類的先進科技呈現固然是一大亮點，譬如從名古屋市區乘坐磁浮列車、燃料電池巴士環保型車等交通工具，就可迅速進入位於日本愛知縣名古屋市東部的會場；整個會場最常看到的是大大小小的機械人，可以幫忙引導、解說，或是演奏

郵票上有長毛象頭骨和象牙，呼應本屆世博主題

音樂，很受大小朋友歡迎，每次出現也總引發不少驚嘆聲。

各類環保建築、生態設計、節能方式，爲此次的強調重點。日本政府在批准愛知縣申辦2005年世博會之前，就已先組織一批由學術界專家、商界巨頭和其他相關單位組織、重要人士廣泛參與委員會，調查申辦的可能性，更要緊的是爲世博會的內容構築基本框架。

焦點1——愛地球

這屆世博會的另一個名稱「愛地球博覽會」，與地球和諧共處的生活方式，是著眼於文化間的交流，因爲愛所併發的責任與意識。所有的活動及展示，都緊扣住「自然的睿智」這一主題，透過人與自然的互動，豐富多彩的生活方式，包括文化傳統、藝術，全都匯集此處，供人交流與互動，進而達到善待人、環境、地球。

在自然環保的訴求下，這屆的吉祥物特地以象徵森林精靈的森林家族——森林小子及森林爺爺爲代表；開幕式時，以盛大、熱鬧的典禮「迎接」森林家族的到來，當然，閉幕式時，也有歡

吉祥物森林小子及森林爺爺（維基百科／Gnsin）

送它們重新回到森林的重要儀式，以象徵這屆世博會尊重自然、維護生態的決心。整個愛知世博會場址改造的原則，就是盡量維持原有風貌、不動一草一木。即使有的地方不得已要占用，也是採用移植的方法，或是將砍伐下來的林木物盡其用，絕不浪費絲毫的自然資源。

　　為了配合高低起伏的丘陵地形，會場所在地並以一個依地形而建、架高的不規則圓弧形空中廊道作為主要通道，連接各展區、展館，也就是依照原來的自然環境、地形及設施，因地制宜的設計。空中廊道固然是這次世博會的吸睛重點，廊道中心的「世界廣場」亦備受好評。在面積達1.4萬平方公尺的廣場中，可舉辦活動，是參展國舉行國家館日演出的最佳場所；另以現代

科技呈現的影像螢幕，在噴出的霧氣中，呈現炫麗的燈光變化，精彩的演出，每次都吸引不少人特地到此參觀。

焦點2 —— 先進的垃圾處理

作為一個以環境為主題的世博會，針對大量人潮製造的垃圾也做了巧妙的處理。首先是非常精細的垃圾分類。每個垃圾收集點通常有12個垃圾桶，所有垃圾被分為：玻璃、塑膠、紙屑、果皮、金屬易開罐、流質等六大類；定時定點按照類別收集後，再分別送往不同地方，各有不同的處理流程及回收再利用，充分展現可分解、再利用、再回收（Reduce, Reuse, Recycle）。為了讓人清楚看見並了解，採用的是透明垃圾箱，並由志工在旁指導協助，讓遊客可確實將垃圾丟進適合的類別中。

會場內的餐廳所供應的可回收的餐具外，一次性使用的餐具及垃圾袋都是採用最新由植物原料所製成的可分解性塑膠，特別是生鮮廚房中的垃圾，採用這種可分解的垃圾袋，就不用再打開袋子，可連同廚餘一起直接處理。食品垃圾經粉碎、加水和特殊處理後變為糊狀，再裝入發酵槽裡做進一步的分解。最後這些原本無用的垃圾，在經過「加工」後，可以作為農田肥料，過程中所產生的沼氣，則可作為燃料電池的燃料，或是焚燒發電，用作世博會的照明供電，絕不浪費。

「環保廁所」每天所產生的污水，可直接由微生物和臭氧處理，而排泄物也能經過特殊處理，成為可再利用的水資源，用來沖洗廁所和灌溉植物。如此一來，不僅不會造成污染，還能節約用水、確保環境的清潔。

這屆世博會的企業館，譬如豐田展館，全部採用廢紙所製

成的再生紙作外牆,內壁充分運用了無污染、可再生的材料做裝飾。而展館的主體,則是可分解和再使用的鋼鐵構架,使用特殊工法做連接完全不需要進行焊接。世博會後,透過分解及分類回收,豐田館所有建材都再使用和再利用,完全零污染。

焦點3 —— 低耗能、無污染

這屆世博會有許多關於自然環保上的傑出技術、產品的展出,尤其引起舉世注目的是,一艘由全球航運業巨頭威廉姆森公司推出,全球第一艘環保船「奧塞勒」(E/S Orcelle)號的模型。這艘船只靠風能、太陽能及波浪動能就能推動,不會釋放有害物質污染環境,還未推出就已造成極大的轟動。遺憾的是,當時只是概念雛形,需要等到2025年才能正式應用,生產實體船下水。不過,設計者亦表示,奧塞勒採用的環保技術,將會陸續應用在其他船隻上。

另外,許多企業也透過遊戲的方式,來宣傳環保的主題,一來可成功吸引人的注意,二來,更因此創造出許多新商機。在東芝館裡,坐上遊覽車、戴上3D立體眼鏡,只要手上貼上感應器,車子每到一處模型景點,譬如草原或是海底,眼前就會出現相關瀕臨絕種動物的介紹,擬真的程度可說是史無前例。

閉幕之後

愛知世博會的成功,讓來自世界各國的人有了充分的交流與互動。在「自然的睿智」主題下,以及「宇宙、生命和資訊」、「人生的『手藝』和智慧」、「循環型社會」等三個副主題中,面積達173公頃的展館,每天都有源源不絕的參觀人潮,會展期

間累積有121個國家和4個國際組織參展，參觀人潮達到2,000多萬，成果斐然，也讓自然環保的議題更廣泛地為人所重視。

其中，透過綠色植物的栽種，以及大量運用在建築的外牆上，藉此綠化景觀的同時，又達到減溫的效果；由小塊單元植物模組裝配而成，配有灌溉系統及土壤，這種專門開發出來的綠化壁，由於優點多又便利，現已成為許多城市中普遍的「裝飾」景象。另外，還有瀨戶日本館的防暑對策之一，外部空氣透過引導，通過埋在地下4、5公尺深的管線後，得以降溫；運用自然循環的方法，大幅減低冷氣空調機的負荷，並隨之控制二氧化碳的排放量，更是值得推廣。園藝設計到此，已發展得十分成熟與精緻，並在逐步演進的過程中，不停的創新與突破。

2008年薩拉戈薩世博會　水與持續發展
International Recognized Exhibition Expo 2008 Zaragoza

過程──擊敗希臘和義大利

一般人對位於西班牙的薩拉戈薩（Zaragoza）可能不甚清楚，殊不知，薩拉戈薩可是一座擁有久遠歷史的古城，早在2,600年前，就有人類活動的遺跡，留下草房的活動空間。

位於伊比利半島東北部的薩拉戈薩，因為地理位置優越，發展得早，尤其所在地的阿拉貢（Aragón）省自治區。爾後，更因當地褐煤產量約占西班牙總產的一半左右，火電和水電能源供應無虞，而發展工業，生產電氣設備、機械、紡織品、甜菜糖

和化工產品等。1982年更吸引通用汽車於附近的一座小村莊設廠，歐寶（Opel）工廠逐年升高的生產量，成為當地的經濟支柱之一，隨之帶動當地的產業發展，包括家用電器製造商、鐵路設備製造商及眾多產業。

2003年底，薩拉戈薩位於AVE高速鐵路上的規劃完成，更加鞏固了其作為區域交通中心的重要角色，2004年12月16日擊敗同時申辦世博會的希臘塞薩洛尼基（Thessaloniki）以及義大利翠斯特（Trieste），成功拿下2008年世博會的主辦權。這屆世博會除了國家參展外，一些非政府組織，如聯合國、歐盟等，還有私人企業，如西班牙電訊也都踴躍出席參展，增添了世博會多元而熱鬧的景象。

焦點 —— 水之塔與水之橋

舉辦期間於6月14日到9月14日，主題為「水與可持續發展」，所有的展館及展出內容均與水有關。譬如當時全歐洲最大水族館的淡水館，在館內可一次欣賞到世界5條大河景色，包括尼羅河、湄公河、亞馬遜河、莫累—達令河與埃布羅河等，壯闊而美麗。而世博會的垂直地標水之塔（Water Tower）展示「水，生命之源」主題、水平地標水之橋（Bridge Pavilian）展示「水，獨特的資源」主題，藉此了解水的特性和對生命的重要性。

國家及地區展館中，從島嶼與海岸、綠洲、冰與雪、溫帶森林、熱帶雨林、山與高原、草原、河流與平原等，各種地形均一次呈現，與水之間的密切關係，亦讓人深深嘆服。又猶如主題為「水之風景」的西班牙館，在廣闊的面積中，近1萬平方公尺的

世博會的垂直性地標：
水之塔展館

世博會的水平性地標：水之橋展館

區域裡，透過擬真的森林、特殊設計而成的微型氣候下，了解不同方式存在的水對人類的重要性，深具教育意義。

2010年上海世博會　城市，讓生活更美好
Expo Shanghai 2010

源起——第一次在發展中國家舉辦

　　2010年世界博覽會舉辦國經過國際展覽局第132次成員國大會投票表決，中國在與俄羅斯、墨西哥、波蘭和韓國的競爭中，成功地獲得了2010年上海世博會的舉辦權。從1999年12月宣布申辦上海世界博覽會以來，中國終於取得世博會舉辦權，實現了

世博會歷史上舉辦國的突破：在世界博覽會150多年的歷史上，這是第一次在發展中國家舉辦的綜合性世界博覽會。在世界上人口最多的發展中國家舉辦的這屆世博會，參觀者超過7,000萬人次，為歷次之最（陳其澎，2004：15）。

過程──呈現現代城市生活

這屆世博會是中國首次舉辦的綜合性世界博覽會，因此深受世界矚目。從5月1日到10月31日在上海的舉辦，主題為「城市，讓生活更美好」，共有256個國家和地區及國際組織參展，吸引世界各地7,000多萬人次的參觀，反應十分熱烈。為了以示慎重，上海世博組委會很早就向全世界公開徵選吉祥物，並在2007年12月於2萬多件的候選作品中，正式選用「海寶」作為吉祥物。

象徵四海之寶的海寶家族

　　說起海寶，就不能不提其創作者。來自臺灣的設計師巫永堅一舉打敗眾多競逐者。英文名稱爲「Haibao」的海寶，意即「四海之寶」，除了寓意深遠外，以漢字「人」字爲核心，並配以代表生命和活力的海藍色，十分具有創意。

　　在以城市爲核心的發展主軸中，所有的構思都是圍繞在如何讓生活更美好。並且爲了五個副主題：「城市多元文化的融合」、「城市經濟的繁榮」、「城市科技的創新」、「城市社區的重塑」和「城市和鄉村的互動」，上海世博會又在黃浦江兩岸共設立了五個主題館，分別是城市人、城市生命、城市地球、城市足跡和城市未來館。所有的展示，莫不在凸顯城市所具有的功用、對人的影響、其所扮演的角色等相關議題。

　　尤其是城市人館中，透過中國鄭州一戶四世同堂家庭、荷

荷蘭館的主題爲「快樂街」。由一條8字形的螺旋式街道及兩側26座微型展館組成

蘭鹿特丹單親家庭、美國鳳凰城標準四口之家、澳大利亞移民家庭，以及來自巴西聖保羅、迦納特馬市家庭等，包含六大洲、六戶不同類型的家庭，具體而生動的呈現。另外，在模擬城市生活、工作、休閒、交通等功能綜合街區的「城市最佳實踐區」中，亦可一次飽覽全球眾多有代表性的城市。

譬如在馬德里的竹屋及生態氣候樹展示下，傳統的建築雖然是廉價的平房，卻可透過自然資源的有效運用，外層以竹皮包裹，便能發揮遮陽、防曬、保溫、隔絕噪音的作用。生態氣候樹是生態大道上的三座樹狀展館之一，是一個十邊形的鋼結構建築，「樹冠」上包裹了一層巨大的銀色薄膜，「樹」頂則是安裝有太陽能電板，可發電供給能源，是當時非常先進的系統。

焦點── 山水心燈

其實，在新科技、新能源的使用上，上海世博會還有眾多呈現。包括占據面積龐大的太陽能發電板，可遊覽園區的交通工具──氫能源車；以及倫敦「零碳館」的展示，原型就位在倫敦南部的「貝丁頓零能源發展」生態村，透過特殊系統的設計、再生能源的供給，牆體發光、窗戶發電外，並設有垃圾、廢水的回收系統，絕對是現代綠能環保建築的經典楷模。

臺灣館在「山水心燈」的主題下，提倡未來城市文明需回歸自然、回歸心靈的深意外，並由節能減碳的LED燈打造，外形猶如源自中國古老的孔明燈，兼顧歷史傳承的深意，即是深受現代許多人喜愛的天燈。

以「山水心燈」為主題的臺灣館

　　除了新科技、新能源的展示外，融合傳統與現代、民俗與科技、歷史與文化等多種元素的省區市館也很吸睛，特別是其中充滿獨特文化的南太平洋眾多島國，其別具特色的精彩表演，總讓人忍不住一看再看；像是班克斯群島人帶來的萬那杜蛇舞，嘴銜樹葉、身塗黑白相間條紋，起舞時把自己想像成海蛇，相當引人注目。而沙烏地阿拉伯中各個城市，也都各有不同的經典民族舞蹈，不管是西部地區的傳統樂器Mezmar伴奏舞、東部和南部地區的Al-Ardah劍舞、北部地區的Aldaha舞或是中部地區的Saudi Ardah舞等，都十分吸睛。非洲國家也有原汁原味的非洲舞蹈，面具表演、高蹺表演和當地鼓樂演奏，世界各地文化的交融之美在這屆世博會中，通通盡收眼底。

斐濟的舞蹈表演

2012年麗水世博會
有生命的大海，會呼吸的海岸
Expo Yeosu 2012

源起——喚起全球對海洋問題的重視

　　大田世博會的成功，讓韓國對於再次舉辦世博會顯得興致勃勃，曾與上海競逐2010年的世博會主辦權，雖然鎩羽而歸，最後還是在2007年11月由麗水市成功獲得2012年的主辦權。

　　麗水是一個大約擁有30萬人口的城市，位於韓國的全羅南道。延續人類因為現代科技的急速發展，對環境產生眾多影響的議題，尤其是海洋：這屆麗水世博會特別以「有海洋的大海，會呼吸的海岸」為主題，希望能藉此喚起全球對於海洋問題的再次重視與維護，並進一步與國際機構或國家建立合作關係，找出並分析各國和各地區的海洋、環境問題，全世界一起來共同面對、解決。

過程——呈現海洋力量

　　2012年5月12日到8月12日的舉辦期間，位於在全羅南道新港地區一帶的展區，包括主題館、國際館、韓國館、國際NGO館、世博數位畫廊、海洋體驗公園、Big-O等主要展館，也都與海洋有關。吉祥物則是源自於魚類的主要餌料，也就是位於食物鏈最底層，等於是象徵維護海洋和海岸生命根源的浮游生物——麗尼、水妮。

　　在韓國館中，除了標榜低碳的綠建築元素外，也充分展示了

遠眺麗水世博會展館

水族館

韓國在造船、海運、水產、海洋科技、海洋安全等領域中的傑出成果，並透過空間的運用及巧妙的設計，具體呈現「韓國人的大海精神和海洋力量」。而象徵世博會主體建築的主題館，在使用對環境友善的綠建築之際，也藉由設計表達出「生機勃勃的海洋和海岸」的涵義。規模巨大的水族館，則是直接呈現，讓人可直接觀賞珍稀的白色鯨魚、海豹、海龍等海洋生物。

閉幕之後

代表海洋都市的世界博覽會塔（Expo Town），是這屆的另一個吸睛重點，其低耗能、低污染的建築設計，還可用於Green-Home示範事業的實驗臺，並在世博會結束後，蛻變成海洋主題大樓及高級住房地區。不少展館及展區，基於對環境友善的設計主軸，最後成為在地風光的一部分，其主體建築沒有拆除，永久繼續使用，保持海洋科技與產業融合的綠色海洋城市地位，並持續引進設施和機構。

2015年米蘭世博會
滋養地球‧生命能源（臺灣Word，2013）
International Registered Exhibition Expo, 2015 Milan

提起義大利米蘭這個歷史悠久，以觀光、時尚與建築景觀聞名於世，並為歐洲三大都會區之一的國際城市，不僅位於義大利人口最密集和發展程度最高的倫巴第平原上，還是歐洲南方的重要交通樞紐。身為國際重要都市，其早在2005年7月已啟用占地

達200多萬平方公尺的RHO新展會會場，就是當時世界上最大的博覽會場。

國際展覽局於2008年3月31日在法國巴黎召開第143次全體大會時，義大利米蘭即以理所當然的姿態爭取2015年世界博覽會的主辦權，最後，打敗當時也在極力爭取主辦權的另一個世界歷史古城——土耳其的伊茲密爾，以21票的差距，一舉榮獲2015年註冊類世博會的主辦權。

源起——奪得舉辦先機

當時米蘭為奪得舉辦先機，2008年2月義大利甚至在米蘭率先舉辦「2015年米蘭世博會第二次國際研討會」，這次研討會在米蘭市政府、倫巴第大區政府、米蘭博覽會基金會、米蘭工商會等單位的協辦下，有來自國際展覽局眾多成員國及上百位國際組織機構代表的熱烈參加外，並定下明確的研討會主題「滋養地球：生命能源；為食品安全、食品保障和健康生活而攜手」。而完整的場館建設規劃，包括規模龐大的劇院、會堂，以及明確的主題展館和公園，配套的交通、旅館，相關的商業設施等等，也都一一考慮在內，不僅為這屆的世博會打下成功的基礎，也獲得國際展覽局多數成員國的支持。

看似先聲奪人的研討會主題，其實就是在為世博會做熱身的萬全準備。當時全球正面臨人口迅速增長、氣候暖化、糧食及資源分配不均等問題，如何解決糧食供應、能源不足，以及衍生的食品安全，成為全球矚目的焦點。為了人類的永續生存、地球的環境維護，最後以「滋養地球，生命能源」為主題，非常符合當前世界所有人的共同訴求。

2015年世博的象徵：生命之樹。背景爲義大利館

焦點——地球餐桌，綠建築

　　世博期間從5月1日到10月31日爲期半年。展區就在米蘭西北部郊區占地200公頃，包括12萬平方公尺的國家展館面積、容納12,000名觀眾的劇院、6,000個座位的會堂、主題展館和公園，及配套的交通、酒店、商業設施等等。展館中以淨化空氣的水泥板及太陽能玻璃面板建造的樹狀結構綠建築「義大利宮」，以及連結維勒瑞斯（Villoresi）運河的「生命之樹」，炫目美麗

的噴泉和聲光效果最受參觀者的注目。

　　還有因應此次世博會主題圍繞在確保糧食生產、維護食品安全等一系列的問題，參展國隨自己國家不同氣候、地理環境，呈現生產、加工、烹調食物等過程及相關內容。其中，在米蘭大教堂前舉辦的「地球餐桌」，讓來自十幾個國家的廚師，現場表演製作自己國家的特色佳餚，並擺在200公尺的巨型餐桌上供大家免費品嘗，可說是掀起此屆世博會高潮的重點活動之一。

　　為了表達對自然環境的維護之意，主辦單位還特地設計出巧妙可重複使用的「life紙水壺」供參觀者使用。紙水壺的色彩、外形都很簡單，而且，採用天然棉花和可回收紙製成，沒有污染的問題，非常環保。

廚師前面裝置的是本屆世博會的吉祥
物：Foody，由西瓜、玉米、蘋果、
大蒜等11種蔬果組成

Chapter 5

博覽會在臺灣

2010年臺北國際花卉博覽會

　　1895年4月中日簽下馬關條約，臺灣割讓給日本，從此，臺灣成為日本海外殖民地。隔年，1896年日本首次將臺灣物產送到日本國內展出，並仿效法國1867年巴黎博覽會的方式，將世界「落後民族」集結展示，在教育學術館內展出北海道、臺灣原住民、琉球、中國、印度、爪哇、土耳其和非洲土著等，意在凸顯日本在臺灣的統治績效，另一方面也是在滿足日本擴張策略的願望。

　　這樣的思維與做法，一直延續到1903年，日本於大阪舉行第五回的內國勸業博覽會。當時，由坪井正五郎主導的殖民地人種相關知識的學術人類館，還一度引發文明與野蠻身分差異的爭議。

　　1904年，臺灣總督府為了參加美國聖路易舉辦的世博會活動，從1903年開始連續二年，共編列72,000元的預算，計畫展出臺灣特產的茶、森林資源、樟腦以及有關統治臺灣過程中的各項照片、圖表及官方報告等。同時，為了促銷臺灣茶葉，還特別在日本館內興建一棟臺灣喫茶店。在展出的242件臺灣物品當中，茶葉展品即高達81件。

　　1907年東京舉辦勸業博覽會，仍是集中日本國內的相關展品，此時也設有臺灣館，地點就位在上野公園不忍池上的觀月橋旁。此次的展出，因被認為是1912年日本萬國博覽會的熱身運動，特別受到注目與歡迎，在第二會場還特別闢出占地1,200坪的外國製品館，而臺灣館就與外國館合併安置。

　　1910年日本為了大幅擴展經濟收入，在日本聯合英國舉辦的博覽會中，臺灣總督府除了獲得192坪陳列展覽品、占所有官廳展示空間27%外，還特別規劃414坪的臺灣喫茶店，並且以英文出版《臺灣統治概要》向英國宣傳臺灣目前概況。其中，喫茶店獲得熱烈的迴響，五個月的博覽會期間不僅湧入251,616人次，平均每天有1,747人次，總收入達1,293英鎊18便士，還遠遠

喫茶已成爲代表臺灣的形象

超過僅有57,000人次的日本喫茶店，可見臺灣喫茶店有多麼受到
歡迎。

　　根據呂紹理（2005：186）的記載，從1897年至1929年間，
臺灣參加各項展示活動共計74次，其中在日本本土舉辦者爲54
次，日本境外共計20次。其中，共有22次的專屬臺灣館，31次
的喫茶店。當時，喫茶店儼然已成爲代表臺灣的固定形象。

1935年臺灣博覽會
始政40週年記念（呂紹理，2005：242-276）

源起 —— 始政40週年記念

1935年（昭和10年）正值日本國力強盛時期，世博會的舉辦是有助於日本對內及對外宣揚國力的一種最佳方式，尤其是彰顯殖民地的統治成果。因此，日本選擇在統治臺灣40週年之際，以臺北市為主場地，在臺灣各地舉辦從10月10日到11月28日期間的「始政四十週年記念臺灣博覽會」。根據程佳惠《臺灣史上第一大博覽會》(2004)一書指出，這不僅是臺灣歷史上第一次舉辦的大型博覽會，總共花費高達111萬日圓，亦有多達三分之一的臺灣人一起參與了這場盛會。

當時，臺灣縱貫鐵路已於1935年通車，加上基隆港的整頓，在在提供了必要的基礎交通建設，但為了這場盛會，日本還特別從日本引進5輛當時最新型的C55型蒸汽機車及鋼鐵客車。許多新式建築物，包括總督府官邸、總督府、兒玉—後藤紀念博物館、勸業銀行、總督府圖書館業已完成，並有三百多家旅館準備迎接參觀的人潮。

此外，1920年後，樟腦丸大量生產、1925年蓬萊米問世，不管在農業、工業以及政治、經濟等，都有快速的發展，在程佳惠《臺灣史上第一大博覽會》一書中有詳細描寫，這場被稱為臺灣大博覽會的歷史性一步，為臺灣帶來了包括產業、商貿、觀光、文化上的可觀效益，連雲林北港朝天宮媽祖也特地北上遊行，至艋舺龍山寺停留後，再繞行至臺灣總督府等地。

過程──整個臺灣都是博覽會會場

　　臺灣總督府、臺北州以及各州廳各分擔支出，總預算90萬元。當時第一會場設於臺北公會堂（今延平南路中山堂）附近及其以南，占地13,000坪；第二會場位於臺北新公園（今二二八和平紀念公園）及附近街區，占地24,000坪；各主要場館皆設於新公園內，另於臺北市近郊的北投一帶設置第三會場爲觀光館，及各地地方館。

　　會場分爲由總督府直接設計承建並展示的「直營館」，以及由民間參加陳列商品、地方風土與企業宣傳性質的「特設館」兩大類，前者包括產業館、交通土木館、第一、二府縣館、興業館、第一、二文化設施館、國防館、南方館、觀光館等；後者有糖業、林業、電氣、交通等代表臺灣工商，以及日本產業三井、日本製鐵、礦山、船舶等館，和代表帝國內各地方特色宣傳的滿州、朝鮮、樺太、北海道、東京等日本各大城市。

　　博覽會建築，除大稻埕南方館中暹羅、菲律賓館各以當地建築爲特色外，其他位於第一、第二會場內各館，則受到1933年芝加哥「一個世紀的進步」博覽會以現代主義爲主的建築設計影響，譬如著名的「儀式大會堂」。同時，此次還大量運用色彩及燈光以吸引觀眾注意，創新的廣告行銷手法非常引人注目；據統計，當時大量運用於夜間的燈光，臨時電燈數即高達46,999個，超過當時整個高雄市46,834個。

　　臺灣展品主要放在產業館中，展出代表臺灣農業的茶、米農作、漁業、手工業、商業貿易，以及「嘉南大圳」及土產品等。值得一提的是，總督中川健藏在初次呈現的電話實驗室前，親自操作臺灣電視史上首次的錄製工作。其他包括，興業館展示各種利用臺灣天然資源進行的試驗研究，以及各種具有「未來性」發

臺灣博物館是臺灣最早的博物館

明品及機械設備，譬如臺灣纖維工業資源等，以及第一文化設施館利用原有「故兒玉總督暨後藤民政長官紀念館」（即今臺灣博物館）展示日本治臺後的教育變遷與現代教育設施的引入過程，並回顧介紹治臺40年教育制度的變革等等。

地方上，板橋鄉土館是利用林本源宅邸作為展覽場所，展示包括當時海山郡轄下各街庄物產及工藝品、板橋林家與北臺灣文化資料、林家私藏書畫、玉製品、銅陶器、佛像等，另雜有能久親王等書墨。除臺北和板橋會場外，大會另於新竹市、臺中市、嘉義市、阿里山、臺南市、高雄市、臺東街、花蓮港街等地均設有分館，充分顯示總督府想要將整個臺灣都當成博覽會會場展示的意念。此次活動共吸引3,346,972人參觀，遠超過最初預估的43萬人次，成功的展現了日本統治下的臺灣發展進步。

板橋林家花園曾作為展覽館

1948年臺灣省博覽會
慶祝臺灣光復（廖文碩，2011）

源起——慶祝臺灣光復

　　1948年是中華民國政府接收臺灣的第三年，當年中國大陸戰事頻傳，臺灣也才經歷二二八事件、通膨嚴重，臺灣省政府卻投入大量物資、經費、人力進行這場當時最為浩大的一場產業暨文化盛會。

　　「臺灣省博覽會」最初是由臺北縣省參議員黃純青所建議，1948年1月省府主席魏道明裁示籌備「臺灣省產業展覽會」。〈臺灣省博覽會章程〉明言：「本會以介紹全省各項建設成績，

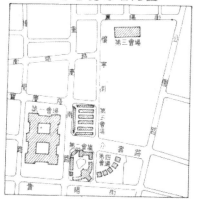

臺灣省博覽會會場分布圖（《臺灣省
博覽會手冊》）

藉廣觀摩，共同促進本省建設事
業之發展爲宗旨。」當時，魏道
明闡述辦理博覽會的目的，是希
望藉此檢討臺灣3年來的建設進
度，並與其他地方觀摩切磋，促
使臺灣同胞愈加了解「祖國文物
與本省實況」，其宣示、安撫意
味相當濃厚。

過程——展示施政績效

　　博覽會會場範圍以省府大
廈（今總統府）爲核心的是第一
會場，前方左右廣場搭建臨時房
屋，區分爲第二會場工礦館、第
三會場臺灣省博物館爲文教館、
第四會場爲省外館、第五會場爲
國貨商場。期間自10月25日開幕
迄12月5日閉幕，爲期6週的「臺
灣省博覽會」，參觀人數總計約
42萬人，其中購票進場者約30萬
人，從大陸地區政府官員受邀來
臺參觀省博覽會者爲數不少。期
間，博覽會宣傳委員會並發動平
面新聞媒體、廣播電臺等，鼓勵
一般民眾參與。此次，展品分類
包括實物、模型、攝影、圖表、
繪畫，依其性質共區分爲十二

類：行政、文教、公營工礦、農林漁牧、手工藝、交通、水利、衛生、氣象地質、藝術、風土，以及民營工商。

　　「臺灣省博覽會」開幕後，人潮不斷，尤以臨時建造的第二會場工礦館特別擁擠，其中又以動態展示或實體模型最能吸引大家的目光，包括臺灣工礦公司機械廠出品的小型汽車、臺灣糖業公司屏東糖廠模型及不時鳴放汽笛的壓榨機、臺灣樟腦局所陳列樟腦製造的建築模型等等。此外，博覽會國貨商場自11月起拋售的商品，也是大排長龍。

　　在當時艱困的時局下「臺灣省博覽會」的舉辦，無疑會面對許多的困難。以博覽會的展演方式，透過文藝、農工商等較為有趣的展覽活動，展示了自接收以來的施政績效，並積極讓臺灣與中國大陸在政經活動與文化風土上有實質與精神的接軌，確實吸引人民的注意，並發揮了影響力。

　　如以「臺灣省博覽會」與「始政40週年紀念臺灣博覽會」相較，二者都是以地方向中央展示施政成果為主要目的，惟後者以日本帝國版圖地理空間為軸劃分會場館舍，展品分類細緻，尤其凸顯總督府動員殖民地經濟的能力。

2010年臺北國際花卉博覽會
彩花、流水、新視界（臺北市政府產業發展局，2010）
Taipei International Flora Exposition/Taipei International Garden and Horticulture Exposition

源起──臺灣第一次AIPH審查通過

　　2006年4月，臺北市政府與臺灣區花卉發展協會在義大利熱

內亞舉辦的國際園藝生產者協會（AIPH）春季會議期間，提出申辦國際園藝博覽會。自此臺灣第一次正式獲得AIPH審查通過的園藝專業型博覽會──屬A2/B1級的「2010臺北國際花卉博覽會」（Taipei International Flora Expo）舉辦權，也是亞洲第七個獲AIPH正式授權舉辦的國際大型園藝博覽會。世界園藝博覽會評鑑等級分為A1、A2、B1和B2，臺北國際花卉博覽會的舉辦，不僅肯定了臺灣園藝產業之優良，也讓臺灣園藝發展走向世界舞臺。

你知道嗎？

綜觀歷屆博覽會中，由1960年於荷蘭鹿特丹所舉辦的國際園藝博覽會開始，平均3至5年舉辦一次，至今轉變為平均一年2至3次，其中已陸續於德國漢堡、奧地利維也納、法國巴黎、加拿大蒙特利爾、中國昆明、泰國清邁、韓國故旣（安眠島）、日本靜岡等共計11個國家展出。

24個城市所展出的內容，莫過於提供愛好自然者觀賞園藝花卉，以及喚起人類對綠意概念及空間的渴望。

A1類別：係由國際園藝家協會（AIPH/IAHP）與國際展覽局（BIE）認定。

A2, B1 & B2類別：係由國際園藝家協會（AIPH/IAHP）認定。

過程 —— 著重綠色生活的概念

　　這次的博覽會，園區總面積為91.8公頃，相當於大安森林公園總面積的3.5倍。共有圓山公園（20.8公頃）、美術公園（7.9公頃）、新生公園（15.1公頃）和大佳河濱公園（48公頃）四區，是唯一結合水岸與城市、公園的花卉博覽會。基於當前世界潮流的自然環保議題，在展區規劃上及展館設計中，都著重在綠色生活的概念。

　　會場建設的設計三大理念中，包含表現園藝、科技與環保之技術精華；達成減碳排放及3R（Reduce, Reuse, Recycle）之環保目標；結合文化與藝術之綠色生活等，透過與自然環境的互動，逐步在生活中實踐綠色生態理念，進而達到愛護地球、保育美好

位於美術公園的展出

處處可看到滿眼的綠及肆意綻放的花朵

由152萬個回收寶特瓶搭建的綠建築流行館——遠東環生方舟

家園的最終目標。因此處處可看到滿眼的綠及肆意綻放的美麗花朵，譬如包含臺北市兒童育樂中心、南側的公園，直到中山足球場之前的大範圍展場上，大片面積的壯闊花海。而國外花卉特展區則展出國內較少見的珍貴花種，果園樹區則是展示臺灣優異的果樹栽培技術與國內具代表性的各種果樹種植技術等。

展館中五個最具人氣的文化館、名人館、流行館、爭艷館以及真相館，各有不同風貌。不管是臺灣民間傳統藝術活動，或是以「競花藝術」方式，呈現國際室內花藝花卉及園藝競賽展館，藉由不同主題特展與活動，每次都能帶給人全新的感受。而「流行館」中，首創152萬個回收寶特瓶搭建的綠建築流行館——遠東環生方舟，亦充分顯示了此次花博的提倡議題：環保、節能減碳。

焦點——中華民國國旗及中華人民共和國國旗

除了占地廣闊的各式精湛園藝技術的呈現外，7,000場次的藝文表演為AIPH歷年來國際花博會中質量最高，活動亦伴隨著每次主題的更換吸引眾多人潮。而花博新生公園區內，除了特色園藝景觀外，這裡還有花博14座展館中唯一可展現臺灣尖端科技的數位互動展館「夢想館」，結合工研院所研發的最新技術，凸顯3D立體影像，每次都吸引絡繹不絕的參觀人潮。在這次博覽會中，尤其是臺北、北京參展，會場同時懸掛中華民國國旗及中華人民共和國國旗，實屬少見的畫面。

閉幕之後

所有展館都被保留，並於2011年7月11日重新開放，更名為「花博公園」，讓在展期無法參觀的民眾得以一覽所有美景及精彩的設計，也讓花博展館之美延續下去，讓更多人領略。而此次結合園藝的高度藝術展現，透過現代科技、文化、各方面的結合，更使人對於臺灣的園藝之美有更深的體會與感動。

2018年臺中世界花卉博覽會 自然怡人的新花都
Taichung World Flora Exposition

過程——剔除保育動物棲息地受肯定

「2010臺北國際花卉博覽會」的盛大成功，讓緊接著即將在2018年11月3日登場的臺中世界花卉博覽會（Taichung World

Flora Exposition），備受矚目。臺中世界花卉博覽會原名爲臺中國際花卉博覽會。按聯合國展覽局（BIE）規定，只有「世界博覽會」及A1等級之世界園藝博覽會，才可以使用「世界」的名稱，其餘只能使用「國際」。

臺灣並非聯合國會員國身分，雖然不能升級爲A1等級的世界園藝博覽會，但因爲在花博預定地后里發現臺灣保育類野生動物石虎，爲保護這珍貴野生動物棲地，臺中市政府將原先石虎棲地範圍剔除，展區另做調整規劃，此一保護生態的舉動受到國際的肯定，因此國際園藝生產者協會（AIPH）同意核定臺中花博名稱以「世界」冠名。

虎是臺灣野外僅存的貓科動物，估計總數僅約600隻左右（維基百科）

焦點──結合生產、生態及生活

即將於2018年底揭開序幕的臺中花博，園區共占60.88公頃。分爲后里馬場及森林園區（30.04公頃）、外埔永豐園區（14.32公頃）、豐原葫蘆墩公園（16.52公頃）等三個展區。展期預計從2018年11月3日至2019年4月24日爲止，長達173天，是中華民國第二個正式獲得國際園藝生產者協會認證授權舉辦的A2/B1級國際園藝博覽會。臺中市政府並規劃活動結束後有5個展館將永久保留（維基百科，2016）。

根據規劃，臺中花博將結合「生產」、「生態」及「生活」等元素，呈現在地特色，尤其是臺中爲臺灣農業很重要的生產地，不管是花卉、水果等都是領先全臺；當然，也可藉此機會，將在地特色產業，譬如將后里的花卉擴大到外埔、豐原，或者營造大甲溪流域成爲水岸花都，打造臺中成爲國際水準花園城市！

博覽會在臺灣，歷經1935年殖民時代、1948年慶祝光復等宣示建設目的意味較濃，2010年的臺北花博及2018年的臺中花博，則是著眼於讓世界看見臺灣，尤其積極響應國際環保、愛惜資源概念，更與國際交流觀摩，展現出二十一世紀民主時代活潑蓬勃的活力！

Chapter 6
精彩，永不落幕

　　整體來看，世博會從商人的市集開始，至今已演變爲人類生產技術的交流、文明演進的展示和對理想世界的期盼；每一次的展出都有如競技比賽，不斷的超越突破，要將人類世界推上一個又一個臺階；也因此世博會有了「經濟、科技、文化領域內的奧林匹克盛會」的美譽。150多年來，有許多「改變人類的精彩」不只影響當時也延續至今，值得回顧。

生產技術的交流

工業展覽　擴大眼界

　　以1851年首次舉辦的英國倫敦世博會來說，英國於世博會後出版的《各國的工業》一書中，即詳細介紹了這次展會的盛況。在占地9.6萬平方公尺的展區中，展覽用的桌子總長約有13公里，在23個星期的展覽期間，有630萬人進場參觀。

　　而世博會期間，馬克思剛好暫住倫敦，常與住在曼徹斯特的恩格斯通信。他們在合著的《流亡中的大人物》中也提及：「工業展覽會在流亡者的生活中，開闢了一個新的紀元。在整個夏季中，德國的人們像潮水一般地湧到了倫敦……。」

　　透過這場馬克思和恩格斯口中的「人類文明的盛宴」，可以清楚看到世博會展出當時的盛況，不只是地域之間的交流，國與國之間的互動，更是人類文明史上的一大進展。

　　恩格斯在《〈社會主義從空想到科學的發展〉英文版導言》中亦指出，從那時以來，英國「開化」了！1851年的世博會，讓英國在飲食、風俗和觀念方面逐漸邁向國際化。

展品豐富　提出反思

　　在1873年維也納世博會中，有埃及的蘇伊士運河工程模型，瑞典則是展示了包括教室的課桌設計到學生教材叢書及辦學規劃，英國陳列了兩種類型的發電機和磁鐵的比較實驗，而法國也不甘示弱地展出長距離的送電實驗；至於美國則端出了電鍋、武器等產品，並大膽宣稱他們的機械製造技術已超越英國。一場像是國與國之間的競賽，也帶動了人類科技、產業的變革。

　　而在奧地利的展品中，一副刻畫政治家在普法戰爭中形象的象牙棋子，和一顆放置在水銀池中重達8噸、長50英尺的巨型炮彈，似乎都在訴說著1866年那場普奧戰爭對他們的影響，算是紀念，也算是某種的反思。

文明演進的展示

原民文化　登上國際

　　中國在1840年以後，海關及外貿都交由外國人代辦，這次負責參展的人是清朝的總稅務司英國人赫德，為了爭取更多的商業利益，特派一位叫做包臘（Eo Co Bowra）的英國人代表中國參加。而在清朝參展品中，臺灣原住民的物品被放置在國際舞臺前。日本則是早在一年前即成立臨時博覽會事務局，並首度以中央政府的名義派員參展，並刻意收集、學習西歐政教經濟與法律各種制度規章（呂紹理，2005：62）。

勞工階級　受到重視

工業革命帶動產業的急速發展，在機械開始大量生產的同時，也催生了不少勞工團體。當貧富差距愈來愈大之際，勞工必須透過某些方法、某些場合爭取自己的權益；這時，展出各種新進機械、發明的世博會，就成了勞工們最好的交流場所。

1862年，巴黎印刷業工人舉行罷工，拿破崙三世為了攏絡工人，同意選派數百名勞工代表去參觀倫敦世博會。另外，德國柏林勞工也派代表參加。

這些人在倫敦受到英國勞工團體的熱情接待，彼此交流來往熱絡，各自回國之後，亦保持密切聯繫。從此勞工運動不斷，沒多久，第一個國際勞工協會就在英國倫敦宣告成立。

自由女神　終結奴隸制度

1871年，法國著名雕刻家巴特勒迪訪問美國，表達要塑造一尊象徵新大陸自由精神的女神像贈送給美國起，歷經從1874年開始設計，到1876年展示，過程備受艱辛。自由女神像（Statue of Liberty）是為紀念美國獨立百年，終結奴隸制度的傑出作品，不管是對法國或是美國而言，均是意義非凡。

文化藝術　浪漫呈現

1873年維也納彷彿要凸顯自己才是浪漫的《藍色的多瑙河》的「主角」，這屆的世博會特別強調其中的美感，即使在實用性的展品裡，也需具備審美價值，構建兩者之間完美的和諧關係，特別強調在文化藝術上的呈現及品味。尤其動人心弦的是節

日歡慶和比賽活動部分，每天的露天音樂會中，由小約翰‧史特勞斯親自指揮的管弦樂隊演奏的一首首動人樂音，不管是華麗、明快的圓舞曲，或是莊嚴的聖歌，在在讓人沉醉其中、不可自拔，而《藍色的多瑙河》當然是其中最受人歡迎的一首。

　　世博會中並成立兩個專門的藝術展館，讓來自世界各地的藝術珍品受到極大的歡迎，除了法國、俄羅斯提供了很多名作外，希臘、義大利亦展出大理石雕像，其中的帕臺農聖廟複製品和米洛的維納斯雕像，都備受讚揚。

經典建築　改變歷史

　　英國在幾個世紀的發展中，最令人津津樂道的就是水晶宮，水晶宮的創意則來自王蓮。帕克斯頓有天在觀賞王蓮時，試著把7歲小女兒放到巨大的葉子上，沒想到居然輕而易舉的承載起。帕克斯頓翻開葉子觀察，發現粗壯的莖脈縱橫交錯，構成既美觀又可以負擔巨大承重力的葉體，靈機一動設計出以鐵欄及木製拱脊為結構、玻璃為牆面的新穎溫室。

　　陳其澎（2004：12）即曾指出，世博會中所呈現的現代性最好的表徵就是建築物。1925年，柯比意的「新精神館」，採用的多米諾系統，獨具創意。到了1967年加拿大建築師薩夫迪設計的「Habitat'67」，不規則的方塊機體外型、使用預鑄組合的方式，出乎所有人的意料。另外，在1958年布魯塞爾世博會中，各參展國的展示都十分強調現代特色的表現與對未來發展的思考。

　　例如：法國館是一座巨大的鋼質三角帆建築，三角帆頂端是法國國旗，展現出大膽創意及傑出的工程技術。美國館則是按照自行車輪原理建造的，採用圓形雙層懸索結構，中間是一圓形

籠，拉住向四周輻射散出的懸索。蘇聯館的設計亦很新穎，在面積達2萬2,000平方公尺的巨大平行管子建築中，光是長度就有175公尺，高度則是22公尺，牆面和天花板都是玻璃；最引人側目的還是1957年10月首次出現的第一顆人造衛星。

1889年恰逢法國大革命百年紀念，法國政府要在世博會上留下一個永久性的建築，而艾菲爾（Alexandre Gustave Eiffel）的金屬拱門塔方案脫穎而出，當時以鋼鐵結構為主的艾菲爾鐵塔很難受到人們的理解，各方含巴黎傑出的哥特建築學派專家都群起反對，最終所呈現的樣貌出乎所有人的意料。根據皮耶‧諾哈編，戴麗娟譯《記憶所繫之處》（2012）一書中指出，就當代人而言，艾菲爾鐵塔早已是法國史學大師皮耶‧諾哈（Pierre Nora）口中所說，成為和馬賽曲、普魯斯特並列，是世人眼中「記憶所繫之處」（lieu de mémoire），即是：一種物質或非物質實體，經由人類或時間轉變，而成為一個社群的象徵性遺產。

1958年舉辦的世博會，沃特金（André Waterkeyn）設計了原子球塔。當時的歐洲共同體共有9個成員國，9個由空心鋼管連接成的建築體，象徵著比利時和西歐各國團結、聯合的標誌。在另一層意義上，二次大戰由一顆原子彈所終結時，一座以原子所設計出來的建築，正反映了這個時代的主流意識，獲得眾多好評。

對理想世界的期盼

規模制度　與時俱進

　　剛開始的世博會多以大眾化的綜合博覽為主題，例如1876年費城美國獨立百年博覽會、1889年法國大革命百年；後來隨著科技的進步，慢慢趨向於專業博覽會的模式，如1933年以「一個世紀的進步」為主題的芝加哥世博會、1985年以「人類、居住、環境與科學技術」為題的日本筑波世博會，並進一步探討科技對生活的影響。近幾年，更加入「環境保護」議題，如2000年「人類、自然、科技」為主題的德國漢諾威世博會等。

　　更重要的是，確立了世博會的各種相關舉辦制度。譬如第一屆世博會，參展商多達18,000個、展品超過10萬件，為了確定分類標準，著實遇到很多難題。直到明確定義後，每類展品設立一個專家委員會監督展品作挑選，評出5,084獎項，其中外國人獲得3,045項，為一切問題尋求出最適當的解決辦法，並漸成規模與制度。需注意的是，和奧運不同，世博會沒有規定多久辦一次。

技術創新　美好生活

　　在1853年的紐約世博會中，美國人奧的斯發明的自動安全升降梯，不僅大幅提升升降梯的發展，也改變了建築的高度，從而改變了城市的風貌、影響人類整個生活方式。

　　在1873年維也納世博會時，比利時的格拉姆將環狀電樞自激直流發電機，不小心接在另一臺發電機，卻激發了發電機運轉。這一個美麗的錯誤，導致了人類關於電的應用前進了一大

步，直接促成了實用電動機（也就是馬達）的問世，更清楚揭示著電氣化時代即將取代蒸汽機時代；也促成了一連串劃時代的革命性產品的出現，譬如1879年的電氣火車、1880年的電梯、1898年電動汽車，也讓接下來的世博會出現更多令人驚喜的產品，電報機、留聲機、白熾電燈、電影機等等。

在1933年芝加哥世博會「一個世紀的進步」的主題中，會上展出的大都是百年科技的成果。在當時，工業化的極致呈現像是揭示著未來人類的先進生活。「福特館」在900英尺的圓形大廳牆面上，福特汽車裝配線的精彩呈現，使人們相信未來汽車即將普及。

細數歷屆世博會，每一次都會有意外的經典呈現，不管是創新發明或商品，如1855年巴黎縫紉機、1862年倫敦計算機、1876年費城愛迪生發明的電報機，1878年巴黎展出愛迪生發明的話筒和留聲機，以及用鎢絲製作的白熾電燈，還有1893年芝加哥轉輪、1900年巴黎電影、1904年聖路易士控制飛行及無線電報與霜淇淋甜筒、1915年舊金山柯達照片及空中飛人、1939年紐約電視、1964年紐約電腦科技與傳真機、1970年大阪月亮隕石、1985年日本筑波先進機器人、1992西班牙塞維爾的大型戶外冷氣機等等，每一次都緊緊捉住世人的眼光。

太空競賽　預備起跑

1967年加拿大蒙特婁世博會在「人類與世界」的主題下，包括展示人類處理農產品的生產過程，如獲取、運輸、處理、包裝、進入流通等環節；闡述能源對於人類的重要性；人類擁有的工業品、消費品、先進科技；並透過對生命、太空、海洋和極地

的探索與認知，表達對人類自身發展的崇敬；以及藉由繪畫、攝影、雕刻等形式，闡述人類與社會的發展歷程等等。

美國館中的仿月球展出，透過一個高達一百多英尺的升降梯，載著參觀者模擬月球奇境探險；2年後太空人阿姆斯壯眞的在月球上邁出了歷史性的一步，實現了人類幾千年來的夢想。蘇聯展以玻璃幕牆，展出史上第一位蘇聯太空人尤里‧加加林於1961年4月12日乘坐「東方1號」成功進入太空，並在最大高度301公里的軌道上繞行地球一周的過程。

環保科技　自然助力

在2005年日本愛知世博會（世博網，2008）中，處處都可發現科技對於自然環保的助力。以身爲主辦國的日本館來說，外觀猶如一個蠶繭狀的巨大竹籠，主架構是竹子，外面的屋頂和牆體則是紙做的，看似「弱不禁風」；事實上，竹子在經過特殊的煙燻處理後，除了不容易發霉龜裂以及蟲害外，重量輕，再加上竹纖維特殊的吸音及隔熱功能，讓整個建築呈現一般水泥、鋼鐵等建材所沒有辦法具備的優異性能，美觀大方外又堅韌牢固。由於會期都在盛夏中，這樣特殊的建材，卻可使陽光變得柔和並保持展館內通風。

而淋水降溫的方式，如三井東芝館、三菱未來館等，從外牆自上而下淋上一層薄薄的水，宛如「瀑布」，一來可以降溫、二來也美化了視覺景觀。再生能源的開發、運用，亦是追求自然環保過程中非常重要的課題。在世博會舉辦前，豐田館就在愛知縣附近設立了風力發電機，所發的電力不僅可以販賣給當地的電力公司，還可以提供展館在會期中的使用。

世博效應　全球文化與經濟交流湧動

世界經濟　中心轉移

在世博會舉辦之前，英國就像世界的中心，對全球發生影響的重大事件，似乎都集中在這個國家，譬如1776年瓦特發明蒸汽機、1829年崔維西克發明蒸汽火車頭，1840年英國發動改變鴉片戰爭等等。向來自詡爲「日不落國」的英國，絕沒想到在這次首屆舉辦的世博會中，美國所顯現的實力。當時，馬克思在和恩格斯的頻繁來往書信中，更是直言，世界經濟發展的重心將轉向北美大陸這類的話。英國人承認美國人在工業博覽會上得了頭獎，並且在各方面戰勝了他們，很多展品，例如新材料、新產品，像是古塔波膠（馬來樹膠）、手槍，特別是割草機、播種機和縫紉機等等，都讓人十分佩服，其他還有銀版照相的第一次大量應用、快艇，也都詳細記載在馬克思的信中。

1851年的世博會扭轉了很多歐洲人的看法。1853年在紐約舉辦的第二屆世博會，當時電梯的出現，更宣告了美國這個新興國家大幅躍升的速度。從此，美國以日漸累積的經濟實力，成爲舉辦世博會次數最多的國家，共計12次，並一步步登上世界強權的位置。

打破階層　全球流動

1750年的工業革命，將人類的發展帶到了另一個里程碑。過去，貴族與平民之間牢不可破的差距，開始鬆動，到了匯集工業革命以來所呈現成果的世博會，「技術引領潮流」的時代正式

來臨。不僅引發多種社會角色的變動，更對社會變遷產生了重大影響。譬如，維多利亞時代以前的英國科學家，大都是世襲的貴族或富家子弟；而工業革命則誕生了很多以技術為本的工程師，大都來自於社會底層，直到世博會贏得世人的注目，也讓大家更注意「技術」；在科學的理論與實際應用上，因此而有了更多的融合和發展。爾後，更多科學家專注於發明，更多工程師埋首於科學研究，彼此的界線漸漸模糊。

陳其澎也曾就世博會的參觀人數表示，這是最能夠吸引最多工人階級、中產階級參與的超大事件。他並進一步舉例說道，「近20年來，世界博覽會已經變成世上最具規模國際觀光活動，例如1986年加拿大溫哥華的世界博覽會共吸引了近2,200萬人次；1992年塞維亞世界博覽會吸引了4,200萬人次的破紀錄人數。」（陳其澎，2004：12-13）

正因為大型活動的參與，社會階級的打破，「世界博覽會也代表著將休閒、觀光、美學帶入了都市環境之中，不僅如此，也代表著已經將休閒、購物、觀光、文化、教育、餐飲都帶進世界博覽會之中。」（陳其澎，2004：13）各國的經濟聯繫更加緊密，全球來往密切，東西方之間的距離也不斷縮短。此時，世博會象徵的意義，不只是經濟活動的蓬勃發展，科技的急速進展，通訊、交通工具技術日新月異，國與國之間距離縮短，其差異性亦日漸消逝。

帶動經濟繁榮與社會進步

事實上，透過這類大規模的國際交流與互動，相互的刺激與成長常是必然的過程。以最明顯的經濟活動來說，陳其澎即表

示，1986年溫哥華世界博覽會吸引2,200萬人次參觀，共創造了25,000至30,000個全職工作機會，觀光收益上比前一年（1985）增加了25%的觀光收益。而溫哥華主辦期間，建設了輕軌系統、主題館、新橋與新港區、新的世貿與會議中心等，也估計有15億加幣（約10億美元）的發展價值。1992年塞維亞世界博覽會吸引了4,200萬人次的破紀錄人數，估計創造了5,500個全職工作機會；更重要的是開發了兩個科技公園，一處是科學工業園區，以作爲工業生產與科技研發的基地，另一個即是強調科技導向的主題公園，就如同迪士尼樂園一般，提供民眾休閒娛樂的一處永久園區（陳其澎，2004：15）。

在這樣頻繁的交流與互動中，蓬勃發展的經濟只是其中的一環，也因國與國之間的密切接觸，促成無數國際組織和跨國機構的產生，人更可能因此「刺激」而不斷成長。尤其當世博會的發展中心，從英國轉移到北美，再因爲東方文化的加入，而產生了更多的可能性。另方面，借重西方的經驗，加速東亞國家現代化的完成，從早期日本和東亞四小龍，包括臺灣、新加坡、香港、韓國所創造的經濟奇蹟，以及目前大陸地區的紅色供應鏈強勢崛起，不能不說是東西文化交流下的成果。

建設城市　展現新風貌

在陳其澎的研究中，即曾清楚指出世博會的舉辦，其實就是啓動都市建設的契機。他表示，1867年的巴黎博覽會，使巴黎有機會建設成歐洲最美都市；而1893年芝加哥世博會也讓歐洲都市建設的觀念首度引進美國的都市中。

其他例如：1974年斯波坎世博會，透過展覽的舉辦，將這

個原本以工業為主的小鎮，在備受空氣、水等的污染侵襲下，重新規劃蛻變為自然清新的美麗城市，1974年6月5日，甚至因此在斯波坎世博會制訂了第一個世界環境日。1993年韓國大田世界博覽會，將大田建構成一個現代化且具知名度的國際城市，尤其是韓國科技「矽谷」中心。

長期準備　共創多贏

　　根據國際展覽局的規定，有意舉辦世博會的國家不得早於舉辦日期的9年，註冊申請應在開幕日的前5年；換句話說，舉辦世博會必須要有段很長的準備期，除了建設、資金上的籌備，還有主辦國必須通過外交管道向其他國家發出參展邀請。當然，在這過程中，還會有其他想要競逐的國家，國際展覽局將向各成員國政府通報這一申請，並告知他們自通報到達之日起6個月內提出他們是否參與競爭的意向。

　　接下來，一連串的考察過程，包括國際展覽局副主席主持，若干名代表、專家及秘書長參加，而所有費用均由申辦方承擔。考察內容則是：主題及定義、開幕日期與期限、地點、面積（總面積，可分配給各參展商面積的上限與下限）、預期參觀人數、財政可行性與財政保證措施、申辦方計算參展成本及財政與物質配置的方法（以降低各參展國的成本）、對參展國的政策和措施保證、政府和有興趣參與的各類組織的態度等等。一切作法都是為了確保世博會的有序發展，並保護各成員國的利益。

　　世博會的舉辦，不僅象徵一個國家的經濟實力，社會與政治、交通等各方面的建構，完善的服務設施和文化特色，也都是成功的要素。相對地，精彩的世博會也都能吸引眾多的參觀人

潮，一再刷新參觀人數紀錄，參展國也以史上新高的數字呈現，
譬如2000年的漢諾威世博會，其參展國家及國際組織數量已達到
172個。因此，今日的世博會早已跳脫十九世紀時，經濟意涵大
於一切的舉辦目的，而且是國家正面形象的確立。

附　錄

世界博覽會一覽

世界博覽會一覽

年	舉辦國/城市	名稱	類型	認證	期間	萬人	特色
1851	英國/倫敦 United Kingdom/London	英國世界博覽會 The great Exhibition of the Works of Industry of all Nations	綜合		1851.05.01 – 1851.10.11	604	以鋼鐵及玻璃建成的巨大展示館水晶宮獲得特別獎，展示英國的工業能力
1853	美國/紐約 United States of America/New York	紐約世界博覽會 Exhibition of the Industry of All Nations	綜合		1853.07.14 – 1854.11.14	512	交流與溝通
1855	法國/巴黎 France/Paris	第1屆巴黎世界博覽會 Exposition Universelle des produits de l'Agriculture, de l'Industrie et des Beaux–Arts de Paris 1855	綜合		1855.05.15 – 1855.11.15	516	農、工、藝術，路易拿破崙第二帝國時期舉辦
1862	英國/倫敦 United Kingdom/London	倫敦世界博覽會 London International Exhibition on Industry and Art	綜合		1862.05.01 – 1862.11.01	609	工業與藝術
1867	法國/巴黎 France/Paris	第2屆巴黎世界博覽會 Exposition Universelle de Paris 1867	綜合		1867.04.01 – 1867.11.03	1500	增加文化內容。路易拿破崙第二帝國時期舉辦

年	舉辦國／城市	名稱	類型	認證	期間	萬人	特色
1873	奧匈帝國／維也納 Austro-Hungarian/Vienna	維也納世界博覽會 Welt Austellung 1873 in Wien	綜合		1873.05.01 – 1873.10.31	725	空前的建築設計
1876	美國／費城 United States of America/Philadelphia	費城獨立百年博覽會 Centennial Exhibition of Arts, Manufactures and Products of the Soil and Mine	綜合		1876.05.10 – 1876.11.10	1000	美國立國百年、新風格住宅、電話、打字機、縫紉機
1878	法國／巴黎 France/Paris	第3屆巴黎世界博覽會 World's Fair of 1878, Paris	綜合		1878.05.20 – 1878.11.10 (Official Inauguration 01/05/1878)	1615	展出汽車、冰箱、愛迪生發明的留聲機、第三共和時期舉辦
1880	維多利亞殖民地（當時）／墨爾本 Colony of Victoria/Melbourne	International Exhibition of Arts, Manufactures and Agricultural and Industrial Products of all Nations	綜合		1880.10.01 – 1881.04.30	133	教育與文化，日本首次參展
1883	荷蘭／阿姆斯特丹	阿姆斯特丹世界博覽會 Aemsterdam World's Fair	綜合		1982.04.08 – 1982.10.10	880	園藝、花卉展覽
1888	西班牙／巴塞隆納 Spain/Barcelona	Exposició Universal de Barcelona	綜合		1888.08.04 – 1888.12.10	230	美術和工藝美術

年	舉辦國／城市	名稱	類型	認證	期間	萬人	特色
1889	法國／巴黎 France/Paris	第4屆巴黎世界博覽會 World's Fair of 1889, Paris	綜合		1889.05.05 – 1889.10.31	3225	法國大革命百年，艾菲爾鐵塔落成，第三共和時期舉辦
1893	美國／芝加哥 United States of America/Chicago	哥倫布紀念博覽會 World's Columbian Exposition	綜合		1893.05.01 – 1893.10.03	2750	哥倫布發現新大陸400年
1897	比利時／布魯塞爾 Belgium/Brussels	布魯塞爾國際博覽會 International Exhibition of Brussels 1897	綜合		1897.05.10 – 1897.11.08	600	國際展覽
1900	法國／巴黎 France/Paris	第5屆巴黎世界博覽會 L'Exposition de Paris 1900	綜合		1900.04.15 – 1900.11.12	5086	世紀回顧
1904	美國／聖路易斯 United States of America/Saint Louis	聖路易斯百年紀念博覽會 Louisiana Purchase Exhibition	綜合		1904.04.30 – 1904.12.01	1969	該市成立百年，同年舉行奧運
1905	比利時／列日 Belgium/Liège	Universal Exhibition of Liege 1905 27.04.1905 – 06.11.1905	綜合		1905.04.27 – 1905.11.06	700	慶祝比利時獨立75週年紀念
1906	義大利／米蘭 Italy/Milan	Esposizione internazionale del Sempione	綜合		1906.04.28 – 1906.11.11	750–1000	交通服務

年	舉辦國／城市	名稱	類型	認證	期間	萬人	特色
1908	英國／倫敦 United Kingdom/ London	倫敦世界博覽會 Franco-British Exhibition	綜合		1908.04.30 – 1908.10.31	1200	同年舉行奧運
1910	比利時／布魯塞爾 Belgium/Brussels	Universal and International Exposition of Brussels 1910	綜合		1910.04.23 – 1910.11.07	1300	展示比利時的工業進步和殖民力量
1913	比利時／根特 Belgium/Ghent	International Universal Exhibition of Ghent 1913	綜合		1913.04.26 – 1913.11.03	950	第一個擁有電力路燈的博覽會
1915	美國／舊金山 United States of America/San Francisco	巴拿馬太平洋博覽會 Panama Pacific International Exposition	綜合		1915.02.20 – 1915.12.04	1887	慶祝巴拿馬運河通航
1925	法國／巴黎 France/Paris	國際裝飾藝術及現代工藝博覽會 International Exposition of Modern Industrial and Decorative Arts	專業		1925.04.28 – 1925.11.08	1500	宣揚「文藝新風尚」
1926	美國／費城 United States of America/Philadelphia	費城美國建國150週年世界博覽會 Sesqui-Centennial International Exposition	綜合		1926.05.30 – 1926.11.30	3600	紀念美國150年，建十萬人體育館

年	舉辦國/城市	名稱	類型	認證	期間	萬人	特色
		1928　國際展覽局成立（開始有分註冊、認證）					
1929	西班牙/巴塞隆納 Spain/Barcelona	International Exhibition of Barcelona 1929	綜合		1929.05.20–1930.01.15	580	工業、藝術與運動
1933	美國/芝加哥 United States of America/Chicago	芝加哥世界博覽會 A Century of Progress, International Exposition, 1933–34	綜合		First opening: 1933.05.27–1933.11.12; Second opening: 1934.06.01–19343.10.1	3887 (1933: 2231 and 1934: 1655)	進步的世紀
1935	比利時/布魯塞爾 Belgium/Brussels	布魯塞爾世界博覽會 Exposition universelle de Bruxelles 1935	綜合	註冊	1935.04.27–1935.11.06	2000	透過競爭、獲取和平
1936	瑞典/斯德哥爾摩 Sweden/Stockholm	ILIS International Aerospace Exhibition Stockholm 1936	特殊（專業）	認可	1936.05.15–1936.06.01	未統計	第一個認可的專業性展覽，專用於航空
1937	法國/巴黎 France/Paris	巴黎藝術世界博覽會 International Exposition of Arts and Technics in modern life	綜合	註冊	1937.05.25–1937.11.25	3104	現代世界藝術和技術

年	舉辦國/城市	名稱	類型	認證	期間	萬人	特色
1938	芬蘭/赫爾辛基 Finland/Helsinki	Second International Aerospace Exhibition in the league air defense Finland – SILI	特殊（專業）	認可	1938.05.14 – 1938.05.22	1500	航空交通
1939	美國/紐約 United States of America/New York	紐約世界博覽會 New York World's Fair 1939–1940	綜合	註冊	1939.04.30 – 1939.10.31 1940.05.11 – 1940.10.27	4495 (1939: 2581 and 1940: 1913)	建設明天的世界
1939	比利時/列日 Belgium/Liege	International Exhibition of the Art of Water	特殊（專業）	認可	1939.05.20 – 1939.09.02	未統計	以水資源管理為主題，同時慶祝艾伯特運河的完成
1947	法國/巴黎 France/Paris	International Exhibition on Urbanism and Housing	特殊（專業）	認可	1947.07.10 – 1947.08.15	未統計	城市化和住房
1949	瑞典/斯德哥爾摩 Sweden/Stockholm	The Universal Exhibition of Sport of Lingiad	特殊（專業）	認可	1949.07.27 – 1949.08.13	未統計	紀念瑞典體育操的創始人和體育教育的主要支持者 Mr. Ling逝世100週年
1949	法國/里昂 France/Lyon	Exhibition of Rural Habitat, Lyon 1949	特殊（專業）	認可	1949.09.24 – 1949.10.09	未統計	圍繞農業的挑戰

年	舉辦國／城市	名稱	類型	認證	期間	萬人	特色
1949	海地／太子港 Haiti/Port-au-Prince	Bicentennial International Exhibition of Port-au-Prince, 1949–1950	綜合	註冊	1949.12.08 – 1950.06.08	25	和平的節日
1951	法國／里耳 France/Lille	International Textile Exhibition – Lille 1951	特殊（專業）	認可	1951.04.28 – 1951.05.20	未統計	紡織品，給予紡織行業交流思想的機會
1953	義大利／羅馬 Italy/Rome	Agricultural Exposition of Rome 1953	特殊（專業）	認可	1953.07.26 – 1953.10.31	未統計	農業
1953	耶路撒冷 Israel,Palestine/Jerusalem	The conquest of the Desert – International Exhibition	特殊（專業）	認可	1953.09.22 – 1953.10.14	60	征服沙漠，對沙漠地區的墾海和人口的討論
1954	義大利／拿坡里 Italy/Naples	International Exhibition of Navigation	特殊（專業）	認可	1954.05.15 – 1954.10.15	未統計	導航、包括全球導航技術、儀器和設備、海上運輸、海鮮、漁業和運動
1955	義大利／都靈 Italy/Turin	International Expo of Sport Turin 1955	特殊（專業）	認可	25.05.1955 – 19.06.1955	未統計	體育
1955	瑞典／赫爾辛堡 Sweden/Helsingborg	H55 International Exhibition of Applied Arts of Housing and the Interior	特殊（專業）	認可	1955.06.10 – 1955.08.28	未統計	美觀兼具實用的工藝品

年	舉辦國／城市	名稱	類型	認證	期間	萬人	特色
1956	以色列／特拉維夫 Israel／Tel Aviv	Fourth International Congress of Mediterranean Citrus Growers, 1956	特殊（專業）	認可	1956.05.20 – 1956.05.26	未統計	柑橘貿易，包括柑橘類產品、設備和機械
1957	德國／柏林 Germany／Berlin	International Building Exhibition, Berlin 1957	特殊（專業）	認可	1957.07.06 – 1957.09.29	1000	改造漢莎區，展示德國的現代化象徵意義，呈現一個西德主進步的西德
1958	比利時／布魯塞爾 Belgium／Bruxelles	布魯塞爾世界博覽會 Exposition Universelle et Internationale de Bruxelles Wereldtentoonstelling Brussel 1958, Expo'58	綜合	註冊	1958.04.17 – 1958.10.19	4145	科學、文明和人性
1961	義大利／都靈 Italy／Turin	International Labour Exhibition – Turin 1961	特殊（專業）	認可	1961.05.01 – 1961.10.31	5000	慶祝義大利建城100周年
1962	美國／西雅圖 United States of America／Seattle	西雅圖21世紀世界博覽會 Century 21 Exposition Seattle World's, Fair	綜合	註冊	1962.04.21 – 1962.10.21	900	太空時代的人類
1964	美國／紐約 United States of America／New York	紐約世界博覽會 New York World's Fair 1964/1965	綜合		1964.04.22 – 1964.10.18 1965.04.21 – 1965.10.17	5167	透過理解，走向和平

年	舉辦國／城市	名稱	類型	認證	期間	萬人	特色
1965	德國／慕尼黑 Germany/Munich	IVA – International Transport Exhibition, Munich 1965	特殊（專業）	認可	1965.06.25 – 1965.10.03	320	交通運輸，包含道路安全、城市交通、公共交通和交通對人的普遍影響，以及新領域——太空旅行
1967	加拿大／蒙特婁 Canada/Montreal	蒙特婁世界博覽會 Universal and International Exhibition Montreal Expo'67	綜合	註冊	1967.04.28 – 1967.10.27	5030	人類與世界
1968	美國／聖安東尼奧 United States of America/San Antonio	Hemisfair 1968	特殊（專業）	認可	1968.04.06 – 1968.10.06	638	文明在美洲的融合
1970	日本／大阪 Japan/Osaka	大阪世界博覽會 Expo Osaka 1970	綜合	註冊	1970.03.15 – 1970.09.13	6422	人類的進步與和諧
1971	匈牙利／布達佩斯 Hungary/Budapest	Exhibition World of Hunting, Budapest 1971	特殊（專業）	認可	1971.08.27 – 1971.09.30	190	世界的狩獵傳統，以及野生動物管理，狩獵的經濟重要性
1974	美國／斯波坎 United States of America/Spokane	斯波坎世界博覽會 International Exposition on the Environment, Spokane 1974	特殊（專業）	認可	1974.05.01 – 1974.11.01	560	慶祝明日的清新環境，無污染的進步

年	舉辦國／城市	名稱	類型	認證	期間	萬人	特色
1975	日本／沖繩 Japan/Okinawa	沖繩國際海洋博覽會 International Ocean Exposition, Okinawa 1975	特殊 （專業）	認可	1975.07.19 – 1976.01.18	349	海－充滿希望的未來
1981	保加利亞／普羅夫迪夫 Bulgaria/Plovdiv	Hunting World Exposition, Plovdiv 1981	特殊 （專業）	認可	1981.06.14 – 1981.07.12	未統計	狩獵與現代文化，安全和野生動物製品，保護生物多樣性
1982	美國／諾克斯維爾 United States of America/Knoxville	諾克斯維爾國際能源博覽會 The Knoxville International Energy Exposition – Energy Expo 82	特殊 （專業）	認可	1982.05.01 – 1982.10.31	1113	能源推動世界
1984	美國／新奧爾良 United States of America/New Orleans	路易西安納世界博覽會 The 1984 Louisiana World Exposition	特殊 （專業）	認可	1984.05.12 – 1984.11.11	734	河流的世界，水乃生命之源
1985	日本／筑波 Japan/Tsukuba	筑波國際科技博覽會 International Exhibition, Tsukuba Japan 1985	特殊 （專業）	認可	1985.03.17 – 1985.09.16	2033	居住與環境，人類居家科技
1985	保加利亞／普羅夫迪夫 Bulgaria/Plovdiv	World Achievements Exhibition of Young Inventors	特殊 （專業）	認可	1985.11.04 – 1985.11.30	100	青年發明家的成就，提供一個科學交流平臺

年	舉辦國／城市	名稱	類型	認證	期間	萬人	特色
1986	加拿大／溫哥華 Canada/Vancouver	溫哥華世界運輸通訊博覽會 The 1986 World Exposition on Transportation	特殊（專業）	認可	1986.05.02 – 1986.10.13	2211	世界通聯與脈動
1988	澳洲／布里斯本 Australia/Brisbane	布里斯本世界博覽會 International Exhibition on Leisure, Brisbane 1988	特殊（專業）	認可	1988.04.30 – 1988.10.30	1857	科技時代的休閒生活
1990	日本／大阪	日本大阪園藝世界博覽會 Expo ǵo	綜合		1990.04.01 – 1990.09.30	6421	人類與自然
1991	保加利亞／普羅夫迪夫 Bulgaria/Plovdiv	Expo Plovdiv 1991	特殊（專業）	認可	1991.06.07 – 1991.07.07	未統計	青年創造性所給予的和平世界
1992	西班牙／塞維亞 Spain/Seville	塞維亞世界博覽會 Exposicion universal de Sevilla 1992	綜合	註冊	1992.04.20 – 1992.10.12	4181	發現的時代
1992	義大利／熱那亞 Italy/Genoa	熱那亞專業性世界博覽會 Specialised International Exposition Genoa 1992	特殊（專業）	認可	1992.05.15 – 1992.08.15	4169	哥倫布，船舶與海洋
1993	韓國／大田 Korea/Daejeon	大田世界博覽會 The Daejeon International Exposition, Korea 1993	特殊（專業）	認可	1993.08.07 – 1993.11.07	1400	挑戰新的發展之路
1998	葡萄牙／里斯本 Portugal/Lisbon	里斯本世界博覽會 Lisboa Expo'98 – 1998 Lisbon World Exposition	特殊（專業）	認可	1998.05.22 – 1998.09.30	1000	海洋，未來的資產

年	舉辦國／城市	名稱	類型	認證	期間	萬人	特色
1999	中國／昆明	昆明世界園藝博覽會 1999 World Horticultural Exposition	專業		1999.05.01 – 1999.10.31	1000	人與自然邁向21世紀
2000	德國／漢諾威 Germany／Hannover	漢諾威世界博覽會 The 2000 Hanover's World Exposition Expo 2000 Hannover	綜合	註冊	2000.06.01 – 2000.10.31	1800	人類、自然、科技
2005	日本／愛知 Japan／Aichi	愛知世界博覽會 EXPO 2005, Aichi, Japan	特殊（專業）	認可	2005.03.25 – 2005.09.25	2200	自然的睿智
2008	西班牙／薩拉戈薩 Spain／Zaragoza	薩拉戈薩世界博覽會 International Recognized Exhibition Expo 2008 Zaragoza	特殊（專業）	認可	2008.06.14 – 2008.09.14	565	水和持續發展
2010	中國／上海 China／Shanghai	上海世界博覽會 Expo Shanghai 2010	綜合	註冊	2010.05.01 – 2010.10.31	7308	城市，讓生活更美好
2012	韓國／麗水 Korea／Yeosu	麗水世界博覽會 Expo Yeosu 2012	特殊（專業）	認可	2012.05.12 – 2012.08.12	820	有生命的大海，會呼吸的海岸
2015	義大利／米蘭 Italy／Milan	米蘭世界博覽會 International Registered Exhibition Expo 2015 Milan	綜合	註冊	01.05.2015 – 31.10.2015	2150	滋養地球、生命的能源

年	舉辦國/城市	名稱	類型	認證	期間	萬人	特色
2016	義大利/米蘭 Italy/Milan	La Triennale Di Milano 2016 米蘭設計三年展	專業	認可	2016.04.02–2016.09.12	預估50	21世紀。設計後設計
2016	土耳其/安塔利亞 Turkey/Antalya	Expo Antalya 2016	特殊（專業）	認可	2016.04.23–2016.10.30	預估800	鮮花與兒童
2017	哈薩克/阿斯納 Kazakhstan/Astana	阿斯塔納世界博覽會 Expo Astana 2017	特殊（專業）	認可	2017.07.10–2017.11.10	預估800	未來的能源
2019	中國/北京	北京世界園藝博覽會 2019 World Horticultural Exposition	特殊（專業）	認可	2019.04.29–2019.10.07	預估2500	綠色生活美麗家園
2020	阿聯酋/杜拜 United Arab Emirates/Dubai	杜拜世界博覽會 Expo Dubai 2020	綜合	註冊	2020.10.20–2021.04.10	預估2500	溝通思想，創造未來

藍字表示未受BIE認可，但作者有收錄。

綠字表示AIPH（國際園藝協會）。

※1933年之前舉辦的活動皆未認證。

※1953年於那路撒冷（Jerusalem）的世博，因國土爭論相關原因，故國家爲（以色列）Israel與（巴勒斯坦）Palestine並列。

※2016年米蘭設計展爲特殊展，期限爲三年，但仍屬世博會，故特別標明。

※本表資料來源：
國際展覽局官網http://www.bie-paris.org/site/en

※部分資料參照：
維基百科 https://en.wikipedia.org/wiki/List_of_world_expositions
國際園藝協會 http://www.bie-paris.org/

參考書目

Wikipedia, List of world expositions, https://en.wikipedia.org/wiki/List_of_world_expositions

人民網（2006），《太陽塔與月亮石？1970年日本大阪世博會追記》，取自http://finance.people.com.cn/BIG5/8215/70326/5049616.html，造訪日期2016年5月29日。

王正華（2003），〈呈現「中國」：晚清參與1904年美國聖路易萬國博覽會之研究〉，黃克武編，《畫中有話：近代中國的視覺表述與文化構圖》，中央研究院近代史研究所。

世博博物館，http://www.expomuseum.com/

世博網（2008），《能源：世界的原動力——記美國1982年諾克斯維爾世博會》，取自http://finance.sina.com.cn/expo2010/djs/20080815/11382859333.shtml，造訪日期105年5月29日。

古偉瀛（1986），〈從「炫奇」、「賽珍」到「交流」、「商戰」—中國近代對外關係的一個側面〉，《思與言》，24:3。

亨利‧羅瓦黑特，2012年，〈艾菲爾鐵塔〉，皮耶‧諾哈編，戴麗娟譯，《記憶所繫之處》，臺北：行人出版社。

吳敏（2010），《1926年美國費城世博會》，華夏經緯，取自http://big5.huaxia.com/zt/tbgz/10-001/1705311.html，造訪日期2016年5月29日。

呂紹理（2005），《展示臺灣——權力、空間與殖民統治的形象表述》，臺北：麥田出版社。

李偉、魏琴（2010），〈巴黎世博會展出自行車一度成勇敢者的遊戲〉，騰訊網，取自http://2010.qq.com/a/20100406/000040.htm，造訪日期2016年5月29日。

海晗（2010），《1935年布魯塞爾世博會》，中文百科在線，取自http://www.zwbk.org/zh-tw/Lemma_Show/678.aspx，造訪日期2016年5月29日。

海晗（2010），《開啓自然的睿智——日本2005年愛知世博會環保理念掃描》，中文在線百科，取自http://www.zwbk.org/zh-tw/Lemma_Show/650.aspx，造訪日期2016年5月29日。

國際展覽局，http://www.bie-paris.org/site/en

國際園藝協會，http://www.bie-paris.org/

陳錫祺主編（1991），《孫中山年譜長編》，北京：中華書局。

程佳惠（2004），《臺灣史上第一大博覽會》，臺北：遠流出版社。

廖文碩（2011），寓教於覽──戰後臺灣展覽活動與「臺灣省博覽會」
　　（1945-1948），臺大文史哲學報第74期。

維基百科，《2018年臺中世界花卉博覽會》，https://zh.wikipedia.org/zh-
　　tw/2018%E5%B9%B4%E8%87%BA%E4%B8%AD%E4%B8%96%E
　　7%95%8C%E8%8A%B1%E5%8D%89%E5%8D%9A%E8%A6%BD
　　%E6%9C%83，造訪日期2016年5月23日。

臺北市政府產業發展局（2010），〈2010臺北國際花卉博覽會〉，臺北
　　產經資訊網，取自http://www.taipeiecon.taipei/article_cont.aspx?MmmI
　　D=1201&MSid=654256526376137402，造訪日期2016年5月23日。

臺灣Word（2013年），《2015年義大利米蘭世界博覽會》，http://www.
　　twword.com/wiki/%E7%BE%A9%E5%A4%A7%E5%88%A92015%E
　　5%B9%B4%E7%B1%B3%E8%98%AD%E4%B8%96%E7%95%8C%
　　E5%8D%9A%E8%A6%BD%E6%9C%83造訪日期2016年5月29日。

臺灣省博覽會編（1948），《臺灣省博覽會手冊》。

主要創作來源

本專書之主要創作來源爲科技部補助之人文及社會
科學專題研究計畫研究成果

計畫年度	主持人	執行機構	計畫名稱
89	墨樵	輔仁大學學校財團法人 輔仁大學英國語文學系（所）	現代展：世界博覽會與美國文學文化，1853-1907
91	陳其澎	中原大學 室內設計學系	萬國博覽會之殖民意涵研究：以十九世紀西方博覽會與日治時期臺灣博覽會之比較研究爲例
92	陳其澎	中原大學 室內設計學系	超大事件與主辦城市發展之關係研究：以世界博覽會與奧林匹克運動會爲例
94	吳方正	國立中央大學藝術學研究所	中國早期博覽會（一）：1870-1900
95	吳方正	國立中央大學藝術學研究所	中國早期博覽會（II）：1880-1900
95	周芳美	國立中央大學藝術學研究所	中華民國在1915年巴拿馬太平洋萬國博覽會中的藝術展品暨美國藝評家們之評論
95	盧慧紋	國立清華大學通識教育中心	萬國博覽會與華特美術館的東亞收藏
95	戴麗娟	中央研究院歷史語言研究所	萬國博覽會與新知識的型塑—以博覽會期間所舉辦之人類學國際會議爲研究對象（1878-1937）
99	周芳美	國立中央大學藝術學研究所	1926年費城萬國博覽會中日藝品之展示